D1384824

ESTÁS EN NICARAGUA

SERGIO RAMÍREZ

ESTÁS EN NICARAGUA

Muchnik Editores

© 1985, Sergio Ramírez
© 1985, Muchnik Editores,
   Ronda General Mitre, 162, 08006 Barcelona

Cubierta: Mario Muchnik

ISBN: 84-85501-88-8
Depósito legal: B. 31.798 - 1985

Impreso en España - Printed in Spain

Para Samuel Rovinski

Noticia para Viajeros

Si todo es corazón y rienda suelta
y en las caras hay luz de mediodía
si en una selva de armas juegan niños
y cada calle la ganó la vida,

no estás en Asunción ni en Buenos Aires,
no te has equivocado de aeropuerto,
no se llama Santiago el fin de etapa,
su nombre es otro que Montevideo.

Viento de libertad fue tu piloto
y brújula de pueblo te dio el norte,
cuántas manos tendidas esperándote,
cuántas mujeres, cuántos niños y hombres

al fin alzando juntos el futuro,
al fin transfigurados en sí mismos,
mientras la larga noche de la infamia
se pierde en el desprecio del olvido.

La viste desde el aire, ésta es Managua
de pie entre ruinas, bella en sus baldíos,

pobre como las armas combatientes,
rica como la sangre de sus hijos.

Ya ves, viajero, está su puerta abierta,
todo el país es una inmensa casa.
No, no te equivocaste de aeropuerto:
entrá nomás, estás en Nicaragua.

Julio Cortázar

Envío:

En aquellos días de los Siete Mares los dos hijos varones de Roberto Armijo se asomaban a divisar los cerros y los cielos de San Salvador desde el balconcito del apartamento en el multifamiliar de la Colonia Sacamil donde Teresa tendía la ropa a secar: Manlio, Rabindranah; Teresa era la madre que también se afanaba en ordenar los libros que desbordaban los estrechos dormitorios, el retrete, la salita, incluso la cocina, porque Roberto era su mejor cliente en la librería que regentaba en la ciudad universitaria, apartaba las novedades y se las disputaba con los compradores: Tagore, Neruda, Darío, Musil, Dylan Tomas, Omar Kayam, Jorge Guillén, Miguel Hernández...

Manlio (por el poeta Manlio Argueta), Rabindranah (es obvio, por Tagore) crecieron y se hicieron guerrilleros; cayó Manlio combatiendo en Tegucigalpa cuando la FUSEP asaltó una casa de seguridad del FMLN; Teresa su madre estaba con él, la secuestraron, desapareció y hasta ahora no se sabe dónde está.

Rabindranah (Tagore) es el comandante Claudio del FMLN, del balcón pasó a los cerros y Manlio del balcón pasó a los cielos.

A Teresa donde esté, a Rabindranah donde siempre estará y a Manlio donde ya está, va este envío.

ANTES

Febrero 17, 1985 (domingo). Montparnasse

Termina aquí la repetición de todos estos encuentros. Desde la casa de Julio Leparc en la rue Coust de Cachan, saliendo del bosque encantado de carnívoras flores tropicales con que Marta, la mujer del pintor, ha decorado las paredes, tras el asado argentino con los argentinos amigos este domingo, al fin hemos llegado al cementerio de Montparnasse, ya sin las flores que tanto pensamos en comprar. Habría que haberle contado a Julio, habría que haberle contado a Carol:

a) El viaje misterioso por París a la medianoche, para encontrarnos con Roberto Matta en su estudio secretísimo instalado en la antigua residencia de un notable de la revolución (la francesa, no la sandinista). El estudio, con su portalón oscuro, su patio interior y sus tres plantas, está situado en las cercanías del Louvre, pero la ubicación precisa juré a Matta no revelarla jamás. La calle estaba cerrada por un túmulo de adoquines, con lo cual hubimos de dar seis vueltas al sitio, todo parte de la clave de acceso al lugar; junto al timbre del portón, hay una frase inscrita que el visitante debe conocer de previo, a menos que Matta en persona espere en el dintel para adentrarte en el recinto.

Germana dirige la preparación de una spaguettata fulminante que comemos a las dos de la madrugada, después de mucho no comer entre tantas reuniones, entrevistas y comidas oficiales. Matta está brillantísimo esta madrugada, disertando sobre la filosofía del poder entre demonios chinos, máscaras de Borneo y grandes caballos japoneses. Al irnos me regala el ejemplar que tiene sobre la mesa de las memorias de la marquesa de la Rochejaquelein, esposa de uno de los terratenientes monárquicos y católicos alzados como cabecillas en la guerra contrarrevolucionaria de Vendée que estalló en 1792, a apenas pocos años del 19 de julio de 1789 y que antes de ser derrotada se extendió por varios departamentos, Matagalpa, Nueva Segovia, Madriz, Jinotega.

Sí. Para derrotar a la contrarrevolución hay que conocerla bien por dentro, me extiende Matta el libro.

b)   Eso fue para amanecer domingo. El domingo mismo vamos muy temprano al estudio de Armando Morales en la rue des Plantes, en Montparnasse: En los caballetes y paredes se alzan, iluminadas entre tarros trapos brochas espátulas aquellas mujeres adultas de nuestra infancia que consumió como frutas de una estación perdida la soledad, desnudas se secan el rostro junto a la playa bajo el cielo de tormenta, un tren detenido bajo la bóveda de la estación desierta, un viejo coche de tiro como los que vimos entonces las aguarda, rostros secretos de mujer y cuerpos desnudos de mujer en una tarde en Granada junto al Gran Lago de Nicaragua, un caballo que pasta solitario en la breña de la costa y hay un tren que parte, un coche que espera y una victrola que acaso suena en el crepúsculo de tormenta; y entre reglas marcos clavos tarros se alza desde la otra pared el general Sandino de pie entre los hombres de su estado mayor, Managua, 1932: han estado en la camisería Ideal de la calle del Triunfo para probarse unas camisas que el dueño quiere regalarles en homenaje; y al salir los acomoda un fotógrafo callejero contra la pared rosada de la sorbetería El Salón Rosado para retratarlos; y Armando Morales los está divisando al otro lado de la calle desde la puerta de la ferretería de su padre, aquél es Sandino, se lo señala el padre, y el niño pinta a Sandino, el fotógrafo callejero retrata a Sandino.

c) Después al taller de Julio Leparc, que al fin localizamos entre sórdidas construcciones, culatas de fábricas y portones de bodegas en la rue de Rabats del municipio de Antony, ya en las afueras de París. ¿Está seguro que es aquí? le pregunta aterrado el oficial de la seguridad francesa al embajador Serrano, con la visita misteriosa de la medianoche anterior los policías ya creían tener suficiente.

Recorremos con Julio Leparc su fábrica. Entre las maravillas de perfección cinética del inmenso taller que realmente es como una fábrica ordenada y sólida en sus elementos de acción y de trabajo, porque no hay duda que la perfección necesita de tal aparato fabril, afable y seductor suena el bandoneón de un tango. Claro, un tango.

d) Y ahora por último, el cementerio, en la tarde de invierno.

Luis Tomasello, el amigo escultor de Julio, se ha venido con nosotros desde la casa de Leparc para mostrarnos el sitio y nos guía por entre la extraña aglomeración de mausoleos en miniatura. Él cortó y pulió la plancha, el dibujo del cronopio grabado encima es de Julio Silva, por supuesto que te acordás de *La vuelta al día en 80 mundos*.

Unos minutos en silencio, de pie con mi mujer allí frente a la losa, ateridos bajo los abrigos en este febrero tan frío. Oigo la voz de Tomasello recordarle a Serrano que hace sólo unos días se cumplió un año de la muerte de Julio, y detrás Roberto Armijo está discutiendo con Armando Morales sobre la verdadera ubicación de la tumba de César Vallejo, aquí o en el Père Lachaise. Una madre pasea a su niño, empujando el cochecito por el callejón que se abre entre los monumentos de juguete del cementerio.

Con las manos en el abrigo yo siento el olor de un piso encerado, unos tacones de mujer retumban en los tablones de madera, y la estela de espuma del bote que nos acerca a la isla de Mancarrón en Solentiname se deshace bajo el brillo del sol en la distancia, el avión militar aterriza entre las lomas desoladas en la pista de Siuna y te ciega la resolana de vidrio molido en la playa del Velero frente a Puerto Sandino, y los campesinos del Ostional que no me oyen, y las madres de Belén en la penumbra.

Las tumbas son para recordar. Y uno está de pie allí, en silencio, para eso, y vos vas a armar la memoria de todos estos encuentros usando este recurso fácil que consiste en pararse frente a una tumba y recordar.

1965. San José, Costa Rica

¿Por qué un piso encerado, los pasos de las secretarias martillando sobre los tablones lustrosos que huelen dulzonamente a cera y el chischil inextinguible de la lluvia ahora? La casa quinta en la cuesta de San Pedro de Montes de Oca con sus mil pasadizos, escalerillas y recovecos, las oficinas en las que siempre hay una ventana que da a la lluvia, los sillones tapizados en vinil gris, mi escritorio al fondo de un pasillo oscuro y sobre mi escritorio, entre folderes y documentos regionales del Consejo Superior Universitario Centroamericano (CSUCA), la edición argentina de *Bestiario,* que me traía de Buenos Aires aquel amigo salvadoreño, entonces con aspiraciones de cronopio que después se volvió mala fama de primera clase y acabó ministro de justicia del general Molina.

Recién llegado a San José, desde la Universidad de León, yo salía entonces de mi primera lectura metódica de Borges, convencido al cerrar cada uno de aquellos tomos en rústica de la Emecé, que no había otro camino experimental para llegar a la perfección más que la perfección misma, que escribir no era otra cosa que engarzar períodos impecables uno tras otro, el mago con el sombrero repleto de conejos inmaculados. Pero allí estaba también *Bestiario* tan antiguo (1951) y el nombre tan nuevecito de Cortázar con el sombrero repleto de tigres. ¿Se empezaba entonces por la novedad, tenía novedad la perfección? Descoyuntar la realidad, sacarle iridiscencias, algo nuevo comenzaba como una gran aventura más allá de la inmóvil vastedad de Borges.

Y como si el azar me la tuviera *preparada,* tal como el azar prepara siempre las cosas, un día caminando por la avenida central de San José, paraguas en mano como ya estaba aprendiendo a andar, *Rayuela* con sus pastas negras y su peso de libro serio en el escaparate de la librería Lehmann, a los veinte años todo lo voluminoso es serio a menos que a uno le demuestren lo contrario.

Rayuela, como uno quisiera leerla, la literatura patas arriba y mirá vos qué clase de seducción. Mayo, 1965, escribí entonces en la portadilla de aquel ejemplar manoseado a lo largo de los años por tantos amigos, incluyendo a Carlos Fonseca, y que veinte años después Julio sacaría del estante Cortázar de mis libros en Managua porque veinte años no es nada, para preparar algo o leer algo en una de sus tantas y múltiples disciplinadas comparecencias en patios, jardines y auditorios sandinistas, dejando su firma en la hoja al pie de aquella fecha (Mayo, 1965), como la huella del tigre que anda por las estancias.

Fue así como nos dimos cuenta que también se hacía literatura seria con la jodienda. El lenguaje y sus mecanismos, la pasión y su rigor, lo lírico y su misterio, y la jodienda para prevenirte de entrar jamás en la Academia de la Lengua, en ninguno de sus capítulos de Centroamérica, esa jodienda en la que nos educamos con Manlio Argueta, Roberto Armijo, José Roberto Cea y Roque Dalton, que no estaba allí pero era el gran maestro de la logia, en los mediodías de los Siete Mares en San Salvador, cervezas ostras rayuela lucy in the sky with diamonds thelonious monk, Oliveira ¿la encontraría entonces? La Maga entraba en nuestras vidas y la adorábamos tanto, Rocamadour y la escena sentimental de su muerte, en medio de la bochinchera congregación de parroquianos oficinistas de corbata hablábamos sapientemente sobre mecanismos secretos y mecanismos lúdicos, la palabrita que aprendimos entonces, cortazarianos y rayuelinos sin quitarle méritos a don Chico Gavidia, de este lado sólo cronopios, en medio las esperanzas y más allá los famas; irremediablemente el mundo estaba dividido en clases.

Por lo tanto, había una literatura latinoamericana más allá de Canaima y Huasipungo, más allá de la trilogía del banano de Asturias (nuestro primer premio Nobel centroamericano), más allá de nuestro viejo santo Salarrué y sus indios de Izalco. Sabias conclusiones, ya también habíamos aprendido a distinguir entre lo vernáculo y Juan Rulfo.

Rayuela era una especie de antídoto, de curarina de efecto universal para las mordeduras graves. Si ibas ascendiendo con paso firme y a tan temprana edad los peldaños de la burocracia regional centroamericana, llena entonces de siglas a escoger, bien podías acabar envenenado por la mordedura, fama ya de saco y corbata; y una vez funcionario ejecutivo experto asesor internacional, contra el escalafón y sus vértigos no hay antídoto que valga. Y desde entonces, años de Cortázar, *Los premios* oloroso a nuevo y más mecanismos ocultos que descubrir;

porque no sólo era el goce de leer y ser libre leyendo, o saberse libre escribiendo, sino todo ese engranaje que era necesario desmontar en cada lectura, aprender el juego de las bielas y la utilidad de las manivelas, la propiedad de los resortes en el mecanismo de la relojería, *62 modelo para armar,* y tantos otros premios.

(Ya para entonces, en la librería que Roberto Armijo regentaba en la ciudad universitaria de San Salvador, el *boom* comenzaba a entrar, primero poco a poco y después a raudales, como el agua de una cañería descompuesta.)

Daguerratipo

El ejemplar de *Rayuela* que pasó por las manos de
Carlos Fonseca, como queda dicho. Entre julio y octubre de 1965, en idénticas tardes lluviosas con borrosas figuras de paraguas negros ascendiendo la
cuesta de san Pedro, entraba casi todos los días
Carlos Fonseca a las oficinas del CSUCA, también
paraguas en mano como parte de su atuendo clandestino. En las largas sesiones vespertinas hablábamos
de la realidad rural de Nicaragua, del trabajo de organización campesina del FSLN y además de Sandino;
y hablábamos, cuándo no, de Rubén Darío, Carlos
se pasaba largas horas en la Biblioteca Nacional inves-
tigando la época costarricense del bardo por encargo
de don Edelberto Torres, que desde su exilio en
México seguía escribiendo su *Dramática vida de
Rubén Darío*. El anciano director de la Biblioteca
era un poeta muy costarricense, don Julián Marche-
na, que le proveía con gusto a Carlos todo lo que
necesitaba para su diario trabajo dariano, llevándole
libros y papeles hasta el rincón de la sala de lectura
donde también escribía sus documentos sobre la lu-

cha armada y la revolución, no vaya a decirse que aquello no era una verdadera complementación dialéctica.

Pero en las tardes del CSUCA también hablábamos de los escritores comprometidos y no comprometidos, de los juegos útiles e inútiles de la literatura, de la nueva novela latinoamericana que empezaba a sonar. Y Carlos tartamudo y meditabundo, el gran cuerpo echado hacia adelante en el sillón de vinil gris, los codos en las rodillas, húmeda de lluvia la chaqueta de nylon, sus ojos severos entrecerrados penosamente durante los largos silencios en que dejaba de hablar de la revolución para seguir pensando en la revolución, me curaba también de la ponzoña, del riesgo de convertirme en fama.

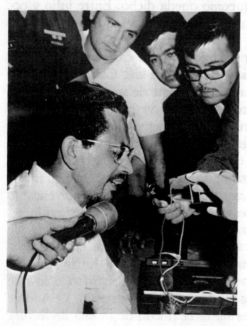

Carlos Fonseca.

Plática sobre Centroamérica
en los Siete Mares

Descubrir Centroamérica, aprender a entenderla
y aprender a quererla, hacerse cargo con seriedad de
ese concepto tantas veces banal, abstracto y pendejo,
Centroamérica sobre la que luego volveremos y que
dejando de ser propuesta rotaria, o leonística de patria grande unida cada quince de septiembre se vuelve concreta y tan concreta que hasta tiene filo y te
puede herir, acordarse si no de los cultos minervinos
del benemérito don Manuel Estrada Cabrera, púbe-
res canéforas le brindaban el acanto, juegos florales
dirigidos por el insigne vate José Santos Chocano
y templetes griegos divisados por Huxley desde el
tren en medio de la floresta tropical, Guatemala bajo
la bota ateniense de Estrada Cabrera y todavía los
indios de las laderas vecinas a Chichicastenango que
regresan sin carga a sus aldeas después de un día
de mercado frente a las cámaras de los turistas, si no
llevan nada en el cacaxtle recogen piedras en el camino para cargarlo y sentir el peso, tenso siempre el
mecapal en la frente mientras ascienden las cuestas
del camino que serpentea entre las colinas boscosas.

Estrada Cabrera fue quien inventó los cementerios clandestinos, otros inventaron después los escuadrones de la muerte, y otros aún después las aldeas estratégicas, y de mis amigos de la Universidad de San Carlos de aquellos años sesenta ya no queda nadie, desaparecidos, secuestrados, enterrados en cementerios clandestinos, ametrallados al subir a su automóvil, o cuando se acercaban a recoger a sus niños en la puerta del colegio, tantas veces los he visto retratados por última vez en *El Gráfico,* doblados sobre el timón, el vidrio hecho astillas, la cabeza ensangrentada, los bomberos bajan con la camilla por la ladera, salen del montarascal acarreando el cadáver del pintor con el que viste un día amanecer en Mixco, fue otro el que te llevó a su pequeña heredad en Purulhá donde solía aparecer mágico y dimi-

Roque Dalton.

Guatemala, junio de 1977.

nuto en las cumbreras de los árboles, el quetzal, pero sólo muy de tiempo en tiempo; y ahora también está muerto.

La Centroamérica de los coroneles entrenados en Fort Gulick surgía entonces no sólo de la literatura, sino desde la vida y por supuesto desde la muerte que tocaba la literatura, ¿y Chema López Valdizón? el humilde cuentista de corbata, más parecido a un vendedor de seguros sin fortuna, que me visitaba en el viejo Hotel Panamerican de la sexta avenida en Guatemala, paseábamos en su estrambótico automóvil construido por él mismo con piezas rescatadas en talleres de desarme y en cementerios de chatarra, desapareció un día, sólo el raro auto en la carretera más raro ahora sin conductor ni pasajeros,

27

secuestrado, desaparecido, muerto, escritor, subversivo. ¿Y Otto René Castillo? Roque Dalton.

En serio que valía la pena ser escritor en Centroamérica y ésta era la gracia de lo lúdico, que el juego era en serio, que el juego es en serio, lejos de lo abstracto; la pasión de lo vivo y el rencor de lo real.

Octubre, 1967. León, Nicaragua

En el paraninfo de la Universidad, entre retratos de clérigos, próceres y académicos, allí de donde habíamos salido el 23 de Julio de 1959 en manifestación estudiantil la tarde en que fuimos masacrados a balazos por la Guardia Nacional de Somoza, iniciamos un seminario sobre *Rayuela* y sobre el *boom* para los estudiantes.

Es un seminario serio, lo inaugura el rector. No se puede hablar sino con solemnidad académica en este paraninfo donde también iniciamos la huelga de hambre, la encerrona de septiembre de 1959 después de la masacre, la Universidad tomada y claveteadas por dentro sus puertas para exigir la expulsión de los oficiales de la GN matriculados como estudiantes.

Bombas nocturnas, cateos, prisioneros, pintas en las paredes, fogatas. Las luces de la Universidad siempre están encendidas, trabajan los mimeógrafos. 1967 es el año de Pancasán, la prueba mayor del FSLN en la montaña. Estamos explicando la novedad y hablando de la nueva narrativa en los días y en las noches de Pancasán, al tiempo que la lumbre sandinista era atizada en lejanas hogueras.

Hay 30 estudiantes de León y Managua inscritos para participar en el seminario y todo lo hemos hecho con orden y anticipación, se trata de discutir con conocimiento de causa y los participantes han recibido de antemano sus ejemplares de *Rayuela, La muerte de Artemio Cruz, Pedro Páramo, La ciudad y los perros.* Pancasán, las células clandestinas; no pocos de los seminaristas son conspiradores, algunos entran furtivos al paraninfo.

Después de las sesiones, retomamos la plática sobre novela compromiso escritor literatura revolución, con Jaime Wheelock, estudiante de derecho que participa en el seminario; nos da la medianoche en el bar La Ventana, a la hora de los rondines de la guardia, los cateos, las capturas. El bar La Ventana está en la calle Real, por los rumbos de Subtiava, y en ese año que es el de la muerte de Fernando Gordillo, bien podíamos alardear que la cantina de cuatro mesas rencas en un patio de chagüites y limoneros ha sido bautizada así en homenaje a los poetas de *Ventana,* de la revista *Ventana,* el movimiento literario juvenil que Gordillo y yo iniciamos en 1960.

1967, el año de Pancasán, el año del centenario de Rubén Darío, el año de la masacre de campesinos en las calles de Managua, atraídos aquel 22 de Enero a la trampa electorera del caudillo conservador Fernando Agüero, que antes de pactar con Somoza pretendió nada menos que ganarle en elecciones limpias; el año de la muerte de Fernando Gordillo.

Cayó el Che Guevara en Bolivia, repiten los radios en la calle, en la noche calurosa que entra con sus bocanadas tibias por los balcones de vidrieras entreabiertas del paraninfo.

Y Pancasán la lumbre de las hogueras, el lejano clamor, la rayita de alba debajo de la puerta cerrada.

Daguerratipo

El 3 de abril de 1970, Luisa Amanda Espinoza cae asesinada en León, junto con Enrique Lorenzo Ruiz, los dos, militantes clandestinos del FSLN. «Nido de comunistas descubierto» dice el título del diario *Novedades* del día siguiente; y en la foto, ordenados cuidadosamente por los agentes de la seguridad somocista, los objetos encontrados en la casa de la Ermita de Dolores que les servía de refugio: algunas pistolas, quizás una vieja carabina, magazines, folletos de entrenamiento militar, manifiestos, hojas volantes, un foco de pilas, y un ejemplar de *Rayuela*. Literatura subversiva, decía *Novedades*.

Ahora, 3 de abril de 1985, he visto la foto de Luisa Amanda reproducida en *El Nuevo Diario* al cumplirse otro aniversario de su caída, su rostro de niña escolar, inocente y sencilla, parece recién salida del baño. Los siguió la seguridad por las calles, no perdieron la compostura aunque sabían que llevaban a los asesinos en sus talones.

Me cuenta Rogelio que salió de su casa donde quedaba encerrado Camilo Ortega para buscarle otro refugio, la guardia podía llegar en cualquier momento, no eran días de muchas casas ni de muchos colaboradores aquellos. Y se sorprendió al encontrarse a Luisa Amanda en la calle, apresurada buscaba un taxi y sólo alcanzó a pedirle que apuntara la placa del taxi en que se montaba, todo tan al mismo tiempo, cinco minutos después cuando Rogelio entró a su oficina en el *Servicio Agrícola Guardián* para buscar algún contacto por teléfono la secretaria le dijo que acababa de haber una balacera, una muchacha muerta y no habían pasado ni cinco minutos, ¿era posible o había sido un sueño? ni siquiera cinco minutos desde que se la había encontrado en la calle, desde que había tomado el taxi, y la secretaria en la oficina ya tenía la noticia de que Luisa Amanda estaba muerta, había bajado del taxi, encontrado a Enrique, an-

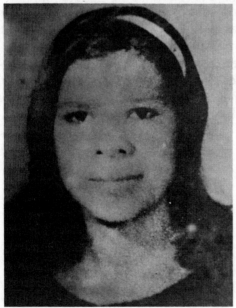

Luisa Amanda Espinoza

dando por la calle, los agentes se le habían puesto detrás, la habían alcanzado, le habían disparado, en todo lo que a Rogelio, urgido como iba, le había tomado caminar a pie hasta la oficina, y aún había habido tiempo para que el rumor llegara hasta la secretaria, Luisa Amanda muerta.

No eran días fáciles aquéllos, días de compostura, de aplomo, de serenidad mientras caminabas por la calle haciéndote el tranquilo y el jeep venía despacio, atrás, y los agentes a pie cruzándose sigilosos las esquinas, manteniendo la distancia, no tenía ni veinte años Luisa Amanda, una mujer, una chavala, una niña. La niña, la de nuestros ojos, la chavala, la mujer, la Amnlae. Entró, entraron los dos en un patio, una casa que no conocían, los jeeps aceleraron entonces, los agentes apresuraron la marcha, corrieron, sonaron los balazos, una ráfaga, otra descarga y en las oficinas del *Servicio Agrícola Guardián* ya sabían que los habían matado.

Camina serena, tranquila, bajo el solazo inclemente y la siguen por las calles de la ciudad, *Rayuela* entre sus pertenencias subversivas.

¿Qué andaba haciendo el *boom* metido en estas cosas?

Verano, 1974. Ostberlin

Desencuentro con Julio Cortázar, pero encuentro con Antonio Skármeta. Empujado por los vientos del exilio, Antonio había llegado meses atrás a Westberlin junto con otros muchos chilenos entre periodistas, profesores, folkloristas, cantantes, universitarios, toda la diáspora suelta y activa después del golpe de septiembre de 1973; pero Antonio era el exiliado en singular, desnudo como había quedado en el tejado. El otro exiliado así en singular, era Ariel Dorfmann que no recaló en Berlín y sólo pasaba raudamente entre nosotros como el *flying dutch* que ya era.

Antonio, su fruición por la vida; se bebía la dicha de la existencia con gran sensualidad por la nariz, pese a todos sus descalabros y tormentos: del deslumbramiento me trasladaba a la franca admiración ante su culto irreprimible por las *minas,* toda clase de *minas.* No podía sino celebrarlo y admirarlo, siendo mi vida en Berlín como era, más tranquila, doméstica y sosegada, ocho horas diarias frente a mi

máquina de escribir en el estudio de la Helmsted-
terstrasse de Wilmersdorf, un antiguo barrio de ju-
díos burgueses; como becario, estaba obligado a te-
clear como si fuera un mecanógrafo.

Desde nuestro primer encuentro nos identifica-
mos, creo que antes de nada por el amor y respeto
que Antonio guardaba hacia el bolero *Sinceridad*
que cantara en sus mejores tiempos Lucho Gatica
y que hasta entonces, como muchos otros latinoamericanos, Antonio ignoraba que era fruto de la inspiración del nicaragüense Gastón Pérez (a) *Oreja de
Burro*.

Fue Antonio quien me arregló una cita para ver
a Julio Cortázar al otro lado, en Ostberlin, cuando
había de llegar a Alemania Democrática por causa
de algún seminario o congreso. Debió ser por allí de
junio de 1974 y el encuentro quedó convenido para
un domingo por la tarde.

Hube de prepararme mentalmente para aquel
encuentro, al fin y al cabo yo no era otro que el
discípulo de todos los tiempos que iba en busca de
su maestro. Quiero decir que pensé mucho sobre la
forma de conducir aquella entrevista, el bagaje intelectual que debía mostrar, mis ideas sobre la literatura, en pocas palabras, caer bien en términos artís-
ticos, el pibe éste vale la pena y a lo mejor después
un prólogo. Con mis libros bajo el brazo, como co-
rrespondía, desembarqué en la estación de la Friede-
richstrasse y lleno de las ilusiones, desasosiegos, esperanzas y temores de quien camina hacia lo grande
y lo desconocido, caminé por la Unter den Linden
hasta la Alexanderplatz donde estaba su hotel.

(De ese primer encuentro no podía sino resultar
una amistad íntima y cordial por la simple razón de

que siendo Antonio y yo tan amigos, y si compartíamos tanto, Cortázar no podía seguir siendo tan amigo de Antonio, sin entrar en intimidad conmigo, el triángulo no podía continuar abierto por esa esquina.

Cortázar aguardándome sentado en un sofá del lobby del hotel, cejijunto y sin envejecer como aparecía en las fotos de las contraportadas, alto y de piernas extremadamente largas porque crecía todos los días y como quería tanto a su gato Teodoro Adorno, lo más seguro es que lo habría traído a Berlín y allí estaría sobando la cabeza del gato mientras me esperaba.)

En la carpeta de la recepción me informaron que no estaba, no había regresado. En el casillero asomaba la chapa de su llave, inmóvil e insensible.

Había efectivamente un sofá y me senté a esperarlo: junto a mí se sentó un exiliado chileno que también con sus libros bajo el brazo, andaba en lo mismo, y el hecho de que fuéramos dos no representaba ningún consuelo mutuo, la cosa iba a ser despacho público, plática íntima, o qué cosa. El sofá estaba estratégicamente situado, íbamos a descubrirlo al no más entrar; intercambiábamos algunas frases, pero sin mostrarnos los libros que cada uno llevaba, más bien hacíamos como que no llevábamos ningún libro. Alguno de los dos se levantaba de vez en cuando sin aviso al otro, para una incursión furtiva hacia el territorio de la carpeta. La llave seguía allí imperturbable, nadie la había retirado sin que nos diéramos cuenta.

Pasaron las horas, y nada. ¿Oscureció? Al fin, el chileno y yo, ya animados por la solidaridad que crece entre los frustrados y que liquida todo ánimo de competencia, nos resolvimos a dejarle los libros en la casilla y tras comentar con reproche su informalidad, salimos del hotel, cada uno por su lado, yo de vuelta a la estación ferroviaria, la teoría del triángulo se caía y Cortázar seguía siendo un fantasma con su gato.

Plática sobre la unión centroamericana en los Siete Mares

Centroamérica como un mito escolar, Centroamérica como un sueño de oficinas públicas de tercera clase. Lo que existían eran pedacitos duros de aquel cristal hecho trizas, astillas que herían, allí estaban ya los más pudientes como dueños de las astillas (caficultores generales, ganaderos ministros, comerciantes presidentes), que entre los polvasales habían mandado a erigir palacios cuartelarios desde donde mandar.

Los pudientes no estaban interesados ya más en la unión centroamericana, el caballo de Morazán se pudría empanzurrado en una vuelta de aquellos lejanos caminos de herradura, y cuando el coloso del norte aparece en la escena, menos interesados aún. A Centroamérica podemos verla a partir de entonces, más bien como la rueda de una bicicleta, que como la cadena de la bicicleta. El buen vecino en el centro de la rueda, claro, y nuestros pequeños países mínimos y dulces, suplicantes, son los rayos que convergen hacia ese centro. Las burguesías nacionales (está bien el término a falta de otra cosa, pero Roque siempre ha pensado que es un homenaje demasiado grande llamar burgueses a estos patrones que se pedorrean en los salones). No quieren ser eslabones fuertemente unidos de una cadena. No, o rayos unidos al cubo de la rueda, o nada.

Morazán montado a caballo, galopando por toda Centroamérica para develar las rebeliones de sacristía de los pudientes. Sabía (y por eso los pudientes lo apodaron «Chico Ganzúa», para significar que sólo era un vulgar ratero y no un general de a caballo) que Centroamérica no tenía sentido si no estaba unida; pero eso lo supieron también los pudientes desde el principio, que querían corona española o nada y que después quisieron yanki o nada. Ya añoraban al yanki antes de que el yanki apareciera, y no tuvieron gusto hasta que bajaron a Morazán del caballo a balazos: Esta tarea le correspondió a los ticos, que tienen fama de no disparar un tiro; pero como igualmente son los herederos tropicales de la cultura cantonal suiza, bautizaron más tarde con su nombre un parque, el Parque Morazán de San José.

(El mejor aliado de los yankis y enemigo acérrimo de Morazán, fue el general Carrera de Guatemala. Es cierto que aún los yankis no existían por aquí, pero como gran visionario que era, sabía que de todos modos iban a venir y fue su más grande aliado: Cuando uno se pone a pensar que realmente los Carrera pueden triunfar sobre los Morazán, no queda otro remedio que vivir bala en boca.)

Y cuántos Carrera no han sido engendrados a partir de entonces, sapos amamantados en leche de sacristía, famas con ponzoña. Sólo a Carrera los pudientes lo han llamado «indio analfabeto» sin querer hacerle ofensa, más bien como forma de homenaje: Carrera no se alzó contra los gamonales para cortarles el pescuezo, sino que fue entrenado en las sacristías para cortar pescuezos en nombre de los gamonales, y en su ejemplo se inspiró después Estrada Cabrera y después el general Ubico y todo lo que se ha seguido haciendo en Guatemala desde entonces en nombre de Dios, la patria, la familia, la religión, viene de allá lejos.

Desechada la idea de la unión centroamericana por consecuencia de la concepción geopolítica de la rueda de bicicleta, los pudientes siguieron permitiendo que se hablara de la patria grande, pero en los aniversarios del 15 de septiembre; Centroamérica pasó así a ser un sentimiento, una nostalgia escolar trasmitida por profesores de primaria con la corbata espolvoreada de tiza, un sueño normalista, la patria grande, una sola bandera, un solo himno, *La granadera*.

Los debates filosóficos sobre la unión centroamericana son llevados a cabo con ardor en veladas rotarias y encuentros leonísticos, sesiones del Ateneo Salvadoreño y simposios de la Academia «Padre Trino» de Tegucigalpa, así como en tenidas masónicas y mítines del Partido Unionista Centroamericano; se encienden las discusiones acerca del lugar más adecuado para la capital federal de Centroamérica y surgen dos posiciones: una nueva ciudad capital en el golfo de Fonseca, isla del Tigre, Meanguera, Meanguerita, golfo al cual convergen las fronteras de por lo menos tres países centroamericanos, a saber, Nicaragua, Honduras y El Salvador; y como poderoso argumento adicional, el golfo de Fonseca está destinado a convertirse en el futuro en un emporio del comercio mundial y de la actividad mercante.

(Cómo estorba la teoría de la rueda de la bicicleta. La posibilidad de establecer en el golfo de Fonseca la capital de Centroamérica se ve gravemente interrumpida al momento de escribir estas líneas, por la formidable presencia del coloso del norte en esa región de Centroamérica, principalmente en los territorios pertenecientes a la hermana república de Honduras; un enjambre de radares bajo el cielo de densos nubarrones del golfo, y un vuelo de aviones que mancha el azul celeste.)

La segunda teoría, o alternativa, es designar a una de las presentes capitales de los países en cuestión, como capital federal, frente a lo cual surgen por desdicha las siguientes observaciones:

Guatemala: La ciudad más grande, mejor desarrollada. Su plano urbanístico fue inspirado por Hausmann, quien también diseñó el París eterno. Inconveniente: allí todavía se creen la capitanía general del reino.

San Salvador: El progreso que sus hijos le han sabido infundir, la hace una ciudad asaz moderna y cosmopolita y se destaca entre sus monumentos públicos la estatua del Salvador del Mundo, montado sobre el globo terráqueo. Inconveniente: este país es sumamente chiquito.

Tegucigalpa: Ciudad pintoresca aunque poco desarrollada, se destaca el estadio Tiburcio Carías Andino entre sus modernas construcciones, así como el santuario de la virgen de Suyapa. Inconveniente: los hondureños son muy mostrencos.

Managua: Ciudad fea y desaseada, destruida por un terremoto en 1931 tiene la desventaja de estar sujeta en cualquier momento a nuevos terremotos; y no debe olvidarse el carácter levantisco e insubordinado de los nicaragüenses.

San José: Favorecida por la oportuna inmigración europea que trajo el hálito refrescante de la civilización y el trabajo ordenado a este pequeño país, podemos bien decir que San José es como una tacita de plata, con su monumental Teatro Nacional, justo orgullo de Costa Rica, y por qué no de Centroamérica; no en balde goza Costa Rica, además de su suave y benéfico clima, del justo cognomento de «Suiza centroamericana». Inconveniente: los costarricenses mismos.

Centroamérica unida.

¿Cuánto tiempo habrá pasado sentado frente a su escritorio, mesa o pupitre, cuántas horas de desvelo y dolor en la espina dorsal? Pero don Salvador Mendieta concluyó los siete tomos de su *Enfermedad de Centroamérica,* monumento didáctico a la unión centroamericana.

Y tenemos además la figura e ideario de don Alberto Masferrer, el pensamiento inspirado del profesor Juan José Arévalo, el único normalista que ha ocupado alguna vez el solio presidencial y que tuvo también claras ideas unionistas, aunque por rechazo al comunismo se haya visto precisado a respaldar a los coroneles de Guatemala, ya en el ocaso de su vida.

La unión centroamericana. Peinar afanosamente a la culebra, la culebra feliz y contenta peinada de moño. Y gira la rueda de la bicicleta, es cierto que le quitamos un rayo a la rueda, pero todavía gira.

Abril, 1976. San José/Solentiname

El viaje costarricense de Julio Cortázar, su entrada primera a Nicaragua por el río San Juan. Al fin vamos a encontrarnos de este lado; yo he terminado mi estancia berlinesa y he vuelto con mi borrador de *¿Te dió miedo la sangre?* al llamado del FSLN. Tampoco estaba en París cuando pasé ya de regreso con mis valijas a cuestas en el verano de 1975, y hablamos otra vez de Cortázar en el restaurante argelino del Barrio Latino, con Ariel Dorfmann y Roberto Armijo; continuaba la persecución del fantasma.

Todo preparado para su serie de conferencias sobre literatura en el Teatro Nacional, mesita, silla y vaso de agua en el propio escenario donde cantara otrora el gran tenor costarricense Melico Salazar, rival de Enrico Caruso. Atrás las bambalinas, las tramoyas, y a sus pies el lunetario, al fondo el hemiciclo de los palcos con sus relieves dorados, en la bóveda del techo los frescos italianos del neoclásico, todo aquello legítimo orgullo nacional.

Samuel Rovinski se dedicó durante varios días a tratar de sensibilizar a la opinión intelectual costarricense sobre el fenómeno Cortázar, a través de una serie de conferencias previas. Creo que su empresa no fue muy exitosa porque allí estaba el teatro lleno de paraguas, pero por qué escribe usted, por gusto o por compromiso, y qué opina de la represión a los escritores en la Unión Soviética, el gulag y los horrores del stalinismo cultural y usted es comunista, o lo niega.

Paraguas, aceras quebradas, las calderas de pejibayes cocinándose en las esquinas, intelectuales de paraguas, vos serías uno de ellos, gramáticos castellanos y poetas grecolatinos, la Atenas centroamericana, todos los autobuses de las rutas urbanas lucían orgullosos en sus costados el águila rampante del escudo de los Estados Unidos de América, *e pluribus unun,* explicame eso, ché.

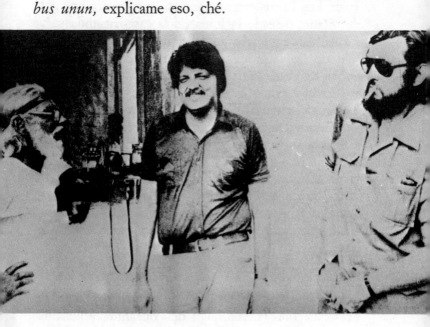

Cardenal, Sergio y Julio en Solentiname, abril de 1976.

Julio se duchaba en su cuarto del Hotel Europa y yo lo esperaba aquella madrugada para partir hacia el río San Juan, sacarlo del San José mortecino en complicidad con Óscar Castillo, volando en la mañana soleada en avioneta hacia la fronterísima con Nicaragua, aterrizando a saltos entre el zacate y las piedras de la pista de Los Chiles, ahora un moderno aeropuerto militar de tres mil metros, a metro por habitante de Los Chiles, y que el general Paul Gormann, jefe del comando sur, inspeccionó personalmente al concluirse los trabajos de ingeniería a cargo del cuerpo de ingenieros del US Army, así cambian los tiempos.

Las Brisas, dominio fronterizo de la familia Coronel junto al río Medio Queso, afluente del río San Juan. Los llanos empantanados, serenos, sin una gota de viento y desde la loma de la casa-hacienda se ve serpentear en la distancia el río Medio Queso que sale de las bajuras costarricenses para desembocar en el río San Juan.

Es el Medio Queso el que vamos a remontar en la panga, navegando entre los verdes racimos de gamalotes que la corriente acerca a la propela, para salir a la anchura del San Juan dejando atrás el puesto fronterizo de Fátima, desembarcar en Santa Fe en la otra ribera, otra vez en la panga para pasar de largo frente a San Carlos, y de allí a lago abierto hacia las islas del archipiélago que se divisan serenas, enclavadas con sus suaves promontorios en la lejanía.

Julio Cortázar entró, pues, por primera vez a Nicaragua en abril de 1976 por la puerta clandestina de Los Chiles/Las Brisas/río Medio Queso/Santa Fe /río San Juan/Gran Lago de Nicaragua/Solentiname. Como memorias de ese viaje existen las instantáneas «Polaroid» que deben estar aún en la casa-hacienda de Las Brisas en poder de Doña María; las propias fotos de Julio, que retrató cuadros primitivos, niños, paisajes; y una foto sacada por Óscar Castillo en la puerta de la iglesia de Solentiname en la que aparecemos Ernesto Cardenal, Julio y yo, que luzco todavía mi bigote de escritor de los tiempos de Berlín.

En alguna parte, quizás junto a la puerta lateral de la iglesita, sostengo los cuadros primitivos para que Julio los fotografíe en la luz primera de la mañana, y pienso: hasta los grandes escritores tienen algo de turistas gringos. ¿Retrata estos cuadros por sentido de folklore, el primitivismo caro al concepto cultural europeo, como trofeo de caza de un viaje por el trópico? Pero no te olvidés del apocalipsis, y dejá de joder con el folklore, vaquitas, casitas y estrellas en un cielo demasiado azul porque a lo mejor sólo de esa pintura había. Lo que importa es el apocalipsis.

(Y esa amistad segura y sin mácula a partir de entonces, hablándote como si nunca te hubiera dejado de ver y como si no fuera la primera vez que te veía, el tipo de amistad recompensada que buscás desde la infancia cuando el muchacho forastero que pasa la temporada de vacaciones en el pueblo y es mayor que vos te deslumbra en el parque con sus cabriolas en la bicicleta y las ganas que tenés de hacerte amigo suyo, rondándolo, siguiéndolo a distancia en su camino de vuelta a la casa misteriosa donde para con sus padres, y de pronto allí estamos platicando, lo llevás a tu casa, hasta te presta la bicicleta, ya van juntos al cine.)

De vuelta en San José y antes de partir, me deja una declaración de solidaridad con la lucha del FSLN, su primer escrito de adhesión que en algún lugar quedó con su firma entre mis papeles de entonces, hojitas en clave, borradores de manifiestos, proclamas clandestinas, cartas cruzadas: la letra apretada y a la zurda de Humberto (Pedro Antonio), las misivas a máquina en tupidos caracteres rojos de Jaime (Julio), los años duros de la división del Frente, mi propio seudónimo en los mensajes (Baltazar), escogido por amor a Durrell; y la declaración limpiamente mecanografiada por Julio en su máquina portátil en el cuarto del hotel.

1976. Después caería ese mismo año Carlos Fonseca, caería Eduardo Contreras.

Daguerratipo

Las Brisas. Pudimos habernos topado con Eduardo Contreras por allí, en esos meses pasaba clandestino rumbo al gran lago, navegando horas en planas que llevaban ganado desde Santa Fe hasta el Diamante en Granada, viejas lanchas de desembarco de la segunda guerra mundial compradas de desecho en Nueva Orleans y utilizadas como corrales flotantes.

Había dirigido el asalto a la casa de Chema Castillo en Managua el 27 de diciembre de 1974 y antes de partir para el aeropuerto con sus rehenes las señoras elegantes que se habían tragado aterrorizadas sus joyas al entrar los guerrilleros, tuvieron oportunidad de verle por fin el rostro cuando se quitó la media de seda, el rostro de galán de la pantalla que nadie había visto nunca ni nadie recordaba. Culto, repetirían asombradas después, amanerado, educado, persuasivo, sugerente, cómo era posible que hablara inglés que hablara alemán que supiera de filosofía que supiera de literatura y que al mismo tiempo fuera tan firme tan rápido tan implacable tan seguro en el mando al colocar a cada hombre en su puesto al relevar las guardias al ordenar disparar al ordenar no rendirse al negociar con el propio Somoza en el teléfono con toda la guardia afuera rodeando la casa, las había aturdido, seducido, ninguna de ellas lo podía negar, un calambre un asombro la necesidad sensual de obedecer, Marcos lo llamaban los otros enmascarados, el comandante Cero y quién no le iba a obedecer.

Y siempre sensual duro firme fulminante decidido cuando yacía en la gaveta de la morgue, no había dejado de mandar aún ya tendido en la gaveta de la morgue tendido en la cubierta de la plana navegando clandestino bajo las estrellas en la inmensidad del lago oscuro, la gran masa negra de agua y el motor incansable empujando la plana entre el mugido de las reses, la plana pasando de largo las islas del archi-

Eduardo Contreras.

piélago de Solentiname bajo el sol firme del mediodía y lejanas hacia el sur las montañas de Costa Rica, dejando atrás el río, atrás los llanos serenos sin una gota de viento, los pajonales inundados, los racimos verdes de gamalotes balanceándose en el vaivén del agua.

Por aquí pasó Eduardo Contreras, aquí durmió comió aquí estuvo este río lo vio este lago estas islas esta costa.

De donde se sigue hablando
sobre Centroamérica en los Siete Mares

Centroamérica, con el tiempo una idea poco fructí-
fera en términos políticos; perdido todo el sentido
de epopeya de las lejanas guerras por la unidad federal que librara después de la independencia de España el general Francisco Morazán, y en las que algunos
caudillos liberales se empeñaron aún hacia los finales
del siglo XIX, las provincias que siguieron dominadas
por sus oligarquías cerriles, no pudieron ya acceder
a la conquista de una dimensión geográfica e histórica mayor; hubiéramos tenido nuestro destino manifiesto que era estar unidos, pero ya se ve que sólo
el otro destino manifiesto, el del coloso.
   Centroamérica perdió su respetabilidad y de allí
a que filibusteros, piratas, bucaneros, banqueros, ge-
rentes de bananeras, embajadores yankis o ministros
americanos, como se les llamaba entonces, pusieran
y quitaran presidentes, compraran y vendieran dipu-
tados, impusieran y suprimieran leyes, comenzaba
a girar la rueda de la bicicleta. Nuestro disperso y dis-
corde puñado de países, tantas veces echados a pelear entre ellos mismos por las fruteras y los banque-

ros, ocupados militarmente y gobernados con vesanía folklórica, quedaron librados a la suerte de tener que vender exánimes y en soledad sus materias primas seculares y venderse a sí mismos al mejor postor, el único postor. Un sólo impostor.

La dispersión política, la inutilidad del esfuerzo económico y la imposibilidad de alcanzar proyectos nacionales en pedacitos tan pequeños, provocó como consecuencia la estratificación de un estilo provincial de vida que a su vez formó una conducta cultural. La conducta cultural del servilismo, la impotencia y la conformidad con lo mediocre, la exaltación de la rima, el ripio, la repetición, una especie de modorra satisfecha y de borroso cliché, percibiendo el atraso como la novedad, anacronismo de formas y sincretismo de lo usado y rehusado, un amor delirante por la prosopopeya y el vicio masturbador de la retórica, la consagración de la oratoria como arte por sí mismo, como si las palabras sirvieran nada más que para repetir altisonancias, la disonancia del folklore y la abulia de lo vernáculo corrompiendo el tejido popular de la cultura, Centroamérica provinciana encerrada en sí misma, levantando a su alrededor los altos muros de la cursilería, un kitsch nuestro, propio, que crecía todos los días alimentado de excrecencias. Los pudientes no tenían nación, ni les interesaba.

Ni la misma modernización forzada introducida por la Alianza para el Progreso al despuntar la década de los años sesenta, mercado común y libre intercambio de mercancías, fue capaz nunca de crear ningún impulso nuevo, aunque los pudientes fueran amaestrados entonces para reconocerse unos a otros a través de las tristes fronteras centroamericanas. Latifundios feudales bajo el humo de las chimeneas:

toda aquella gran impostura no quitaba nada de cerril a los pudientes por mucho que los barones salvadoreños llevaran a Pablo Casals a dar conciertos a San Salvador y que doña Hope de Somoza levantara su monumental teatro nacional junto a las miasmas del lago de Managua. No había artificio posible a través del cual los pudientes resucitaran a Centroamérica de la mediocridad que ellos mismos le impusieron con su sello, sobre todo si recordamos que ya vivían para entonces espiritualmente en Miami y que la reposición cultural la forzaban ahora por la vía de imponer la copia de una subcultura más que degradada, el gusano en la manzana.

(Se me ocurre que los barones del café llevaron a Casals a San Salvador como se puede llevar a José Feliciano a la feria de Santa Tecla, porque cuando doña Hope trajo a Managua a Victoria de los Ángeles le pidió que pusiera en su programa *Granada,* de Agustín Lara; y su teatro lo inauguró con un concierto de Tony Aguilar, gallo en mano y espuelas de plata en los talones, allí está *Novedades* que no me deja mentir.)

Es cierto que con la Alianza para el Progreso los pudientes se sentían mejor conectados hacia el centro de la rueda de la bicicleta, pero aún su sentido de correspondencia política seguía siendo provincial, y en todo caso, brutal. El general Miguel Ydígoras Fuentes hacía lagartijas en sus comparecencias regulares de calistenia frente a las cámaras de televisión de Guatemala, igual que el general Hernández Martínez, treinta años antes, difundía diariamente por radio sus enseñanzas sobre los fluidos magnéticos, pero eso es lo folklórico; lo real venían a ser los escuadrones de la muerte y las logias anticomunistas: La mano blanca es el producto cultural por excelencia de los pudientes.

Desapariciones, secuestros, cárceles clandestinas, cementerios secretos, producto centroamericano hecho en Guatemala, vendido en El Salvador. Otros productos, Somoza y toda su corte miamesca eran ensamblados directamente en los Estados Unidos.

Aislamiento, deformación, distorsión. El atraso fijado por la dependencia se vuelve tenaz y lo domina todo; desde el cinismo retórico en la conducta política, al color provinciano de las operetas republicanas, a la represión santificada en juzgados donde las gallinas ponen sobre las pilas de expedientes, estaciones de policía que parecen mezquitas, palacios de gobierno color kaki, juegos florales, veladas darianas, ateneos mustios, la ruindad de lo centroamericano en los suplementos culturales salvadoreños que traen los sonetos de David Escobar Galindo junto al crucigrama, en Honduras todavía no habíamos llegado al arte abstracto, cómo, si no conocíamos lo concreto.

Categorías de lo centroamericano, reflejos de un agua represa, imposibilidad, impotencia, la cultura centroamericana es una pasión estancada y a su alrededor los muros levantándose altos y rotundos, cerrando el acceso a lo universal, lo centroamericano visto como universal a través del catalejo del subdesarrollo que es tan integral, el subdesarrollo no tiene fisuras, desde donde lo veas te está llamando. Y los dueños del catalejo aun así prestándolo con egoísmo a quienes se asoman a través del lente empañado para divisar cosas muertas.

Cultura centroamericana.

Septiembre, 1976. Frankfurt/París

Feria Internacional del Libro, Frankfurt.

La feria ha sido dedicada este año a la literatura latinoamericana y debe culminar con una mesa redonda de los escritores que hemos sido invitados a venir. Julio Cortázar y Mario Vargas Llosa son allí las luminarias del *boom,* aunque los stands aparecen dominados por las tapas azules de la edición alemana de las memorias de Neruda. Thiago de Melo, Eduardo Galeano y yo, somos hijos, junto con Ernesto Cardenal que es su estrella, de la Peter Hammer Verlag de Wuppertal, una editorial pequeña pero firme y peleadora que consigue subir a sus tres hijos al estrado donde se ha tratado de acomodar por cuotas a los escritores participantes. Per cápita, resulta que la Peter Hammer es la editorial que más escritores tiene allá arriba.

La mesa redonda conducida por Meyer-Classon fracasa, como todas las mesas redondas en las que se está esperando que los escritores latinoamericanos digan algo que conmocione; todos tendrían algo distinto, novedoso que decir, pero al fin y al cabo los discursos se repiten. De pronto parecería prosperar un contrapunto entre Cortázar y Vargas Llosa sobre la cuestión política referida al escritor, y otras voces en la mesa apoyan la posición de Cortázar, pero me queda la impresión de que todo no pasa de ser un *allegro* de allá arriba y no hay fluidez en el debate, sobre todo por lo engorroso de la traducción que al final se elimina del todo cuando se descubre que la inmensa mayoría de los presentes habla español. De allí me surge, y se lo digo a Galeano, la terrible sospecha de que la literatura latinoamericana, aún bastante exótica como producto cultural, tiene en Europa un público recurrente, una logia compuesta de profesores de universidades, especialistas en lenguas, y los propios exiliados nuestros que están allí debajo ocupando las primeras filas.

Pero se ha cumplido el rito, y Hermann Schulz, nuestro editor de la Peter Hammer, está feliz. En el atrio del restaurante en los terrenos de la feria donde van a ofrecernos un almuerzo de despedida, converso de pie con Julio, mientras las primeras ráfagas del otoño barren las hojas sobre el pavimento y tras los cristales los camareros de smoking negro, que en Nicaragua parecerían socios del Country Club, preparan las mesas. Hay una foto de este instante, alguien que anda por allí la toma.

Y veo a Julio como en otra foto, tonos negros y contrastes grises sobre el papel lustroso. Rue de Savoie, patio interior con plantas y maceteras como un patio argentino, una escalera con barandal de fierro, un pequeño estudio con libros, un salón atestado de invitados donde Ugné Karvelis oficia de anfitriona en una recepción ofrecida a Luisa Valenzuela. En la foto Julio estaría en un rincón, serio, cansado, atisbando por encima de los invitados.

Aburrido se va y nos vamos con él para despedirnos en la calle, Roberto Armijo con su gran abrigo de astracán, el mismo que Rubén Darío empeñó o vendió en París y apareció después en manos de Gómez Carrillo, y Óscar Castillo que llega de lejos en busca de un amor perdido y se ha juntado con nosotros para venir a ver a Julio, Solentiname, Las Brisas, el río, la avioneta. Nos acordamos.

Óscar abraza sentimentalmente a Julio, mi actor de teatro preferido que nunca deja de ser Arturo Ui dirigido por Atahualpa del Chopo.

Y el Frente Sandinista que está allí, le respondo a Julio cuando me pregunta por la lucha. Está allí creciendo como un rumor en la oscuridad.

Centroamérica, anticomunismo
y folklore en los Siete Mares

Está el anticomunismo, y está el folklore.

A través del catalejo de feria en manos de los pudientes pueden verse las cosas muertas del infortunio cultural, pero con insistente codeo en las costillas te instigan a admirar también su decorado anticomunista, la rueda de la bicicleta gira siempre a la derecha y te ofrecen un paseo por su bosque encantado, aguas espesas y árboles con garras, la vegetación tumefacta. La mano blanca también tiene periódicos, los sonetos como relleno de página junto al crucigrama y *educando* a papá viene a ser lo de menos, es la fosforescencia de las emanaciones lo que importa; un acróstico triunfador dedicado a la reina de las fiestas de Chalatenango tiene un premio de mil colones, pero ahora el catalejo de los hermanos Dutriz te lo presta el coronel D'Abuisson maquillado por los especialistas en imagen de Park Avenue, los escuadrones de la muerte se sientan en la asamblea constituyente de El Salvador porque han ganado sus escaños conquistando votos con globos de colores, banderines, camisetas, dios patria libertad es el emblema, vos has visto desfilar por el bosque a los enanos de camisas negras del movimiento Costa Rica Libre, también son dueños del diario *La Nación* que trae leyendas vernáculas costarricenses los domingos y se preocupa por la pureza del idioma en sus debates filológicos de página entera; y no son sólo los indígenas sirviendo el desayuno a los turistas norteamericanos en los hoteles de la Antigua Guatemala, disfrazados con refajos, alpargatas, sombreros y demás arreos que les deparó la suerte, sino sus aldeas arrasadas para librarlos de la subversión y para que sus almas no sean ganadas por ideas exóticas, sabe más de pompas fúnebres que de pintura expresionista Mario Sandoval Alarcón, sentado en su despacho del Congreso Nacional bajo el retrato de Castillo Armas.

La cosa es que en el bosque de plantas tumefactas no cambie nada, que no se mueva el aire porque el aire es subversivo en la noche de Centroamérica, el bosque en tinieblas lleno de gemidos y llenos de slogans, la propiedad, la patria, los valores sacrosantos del espíritu, la religión que nos legaron nuestros mayores te habla por la boca de los fusiles, la defensa de las instituciones republicanas se hace en los cementerios clandestinos, para conservar la estabilidad de la familia se llenan de cadáveres los caminos de Jutiapa, arden los maizales en El Quiché y vuelan los *dragon-fly* bombardeando los montes en Perquin, los pozos de malacate rebosan de campesinos asesinados en Olancho porque el latifundio sin fronteras sigue siendo la patria para los pudientes dueños de la rueda y dueños del bosque. Y los guardias somocistas ¿qué defienden en la fuerza de tarea «Jean Kirckpatrick» degollando arrasando quemando, sino la democracia occidental cristiana en el límite último del bosque, aquí donde se acaba el bosque?

Se acaba el bosque, un claro en el bosque puru-
lento, y la bicicleta flaquea, ha perdido su primer
rayo la rueda. De allí el encono, la tirria, la revolución sandinista es para los pudientes de Centroamérica la irrupción, la sorpresa, la alteración, el tras-
toque, el incordio, el lobanillo, el uñero, el terror
nocturno. A nadie le gusta que lo despierten de pronto mientras duerme ¿a usted le gustaría? Sueños
aherrojados, placidez bajo cadena y candado asaltada
de pronto. Y tan primitivos los pudientes ofreciendo
con mil ademanes de alarma el catalejo, para que se
vea lo que está ocurriendo en Nicaragua; retumban
los altavoces de la feria, allí se están comiendo a los
niños, los asan, los fríen, los descuartizan, los arran-
can del pecho de sus madres para enviarlos a Rusia,
queman los santos, clausuran las iglesias, está prohi-
bida la religión, prohibido adorar a Dios, el infierno
comunista, el horror totalitario. El lenguaje de las
cavernas es patético, su inocencia es conmovedora.

Los pudientes no estaban preparados para ver
al mundo cambiar, para ellos siempre fue todo tradición espuria, olvido, la continua exaltación del
miedo al cambio y la correspondiente recompensa
en el folklore inofensivo que siempre han cultivado
junto con el amor a la unión centroamericana.

El folklore, como el otro límite inofensivo de lo
centroamericano; el anticomunismo la garra, el folklore el muñón, la tradición popular expropiada para
mancillarla, en el catalejo el pasado folklórico que
no se mueve, cuando se mueve es subversivo; basta
entonces con la estampa y hace falta la degradación,
forzar la entrada en escena del pueblo vencido con
sus atavíos de feria en el escenario del gran *kitsch*
sanguinolento; cuando a los pudientes les preguntás

por el pueblo te enseñan un sombrero de plumas y de vez en cuando hacen sonar con sus bolillos de fierro una música de marimba; pero ya viste, en Monimbó se les enseñó a los pudientes para qué sirven las máscaras.

En el claro del bosque se hizo con máscaras la guerra, el folklore embalsamado se puso en movimiento, lo vernáculo sacó las garras, la fiesta muerta se hizo fiesta verdadera, y la tradición popular volvimos a expropiársela a los pudientes.

Ése es el miedo.

Enero, 1978. La Habana

Restaurante del Hotel Nacional. Miguel Barnett,
Ugné Karvelis, Julio, que sale a la luz del sol ese
mediodía por primera vez, después de una temporada con pulmonía en un hospital de La Habana.

Yo estaba en Cuba como jurado del premio Casa
de las Américas, pero antes que nada en asuntos del
Frente Sandinista. Eran los intensos meses posterio-
res a la ofensiva de octubre de 1977, cuando los
cuarteles de la Guardia Nacional en San Carlos del
río San Juan, y en Masaya, fueron puestos bajo el
fuego guerrillero que prendía también con nueva
intensidad en las montañas del norte; ya había sur-
gido el Grupo de los Doce, Somoza nos procesaba
por sedición y había mandado a asesinar a Pedro Joa-
quín Chamorro, se levantaban en Managua las primeras barricadas, estallaban huelgas, se encendía Monimbó. Las piezas de la insurrección comenzaban
a acomodarse.

De todo aquello hablamos en la dorada penumbra del restaurante mientras almorzábamos como en
el escenario de una película de Visconti, interior fin

de siglo, cortinas, mesas, sillas, platos, jarrones, iluminados por una luz muy dariana. Y cascos de guayaba de un rojo intenso.

Ibamos a ganar la guerra, la conspiración alcanzaba ahora al *boom*. Cortázar disfrutaba la historia de nuestros entendimientos secretos con García Márquez a quien yo había ido a buscar en Bogotá meses antes para convenir con él su papel de agente confidencial nuestro en el Palacio de Miraflores en Caracas, con el *boom* entrábamos a los despachos presidenciales y García Márquez ya tenía un seudónimo entre nosotros.

Adiós a Julio que volvía a París, y en el Hotel Hanabanilla de la sierra del Escambray donde el jurado fue recluido, Haydée Santamaría se barricaba en su cuarto como una muchachita traviesa, arrumbando en complicidad conmigo y con Chico Buarque muebles y sillas contra la puerta para que no entraran sus custodios a los que había dejado perdidos en La Habana, subiéndose deliberadamente al avión que no era y apareciendo sola en Cienfuegos.

Yo había terminado mis asuntos del FSLN en La Habana y debía regresar con urgencia, pero ahora estaba atrapado en la sierra, leyendo originales con el resto del jurado. Instigué a Ernesto Cardenal, que andaba conmigo, para que le planteara a Haydée la necesidad de nuestra partida.

—Somoza está cayendo —le dijo a la hora del desayuno en el comedor del hotel— tenemos que volver.

—No pueden —respondió categórica— si todos los jurados tienen que irse de inmediato, no hay premio.

—Hay una huelga general —le dije— el Frente

va a atacar Granada, va a atacar Rivas. Las cosas se están acelerando.

Ella nos miró con cierta graciosa incredulidad. Si estábamos allí encerrados, calificando originales literarios, ¿porqué el FSLN nos iba a necesitar?

Esa noche me gané mi libertad con un discurso. Los jurados celebraban el aniversario de la caída de Martí en Tres Ríos con un acto, y yo recordé que ese mismo día 18 de Mayo del mismo año de 1895 también había nacido Sandino, lo que probaba que la historia de América Latina era una carrera de relevos. Haydée se emocionó, me abrazó. Partí a la mañana siguiente y Ernesto quedó de rehén.

Y sí, en la primera semana de febrero el FSLN cercó a la guardia en el cuartel de Rivas, tomó Rivas, y cercó a la guardia en el cuartel de La Pólvora, tomó Granada. Eso era suficiente para atizar las llamas que comenzaban a levantarse en Monimbó, los indios de las estampas de colores que se alzaban en Monimbó.

En el ataque al cuartel de Rivas había caído Panchito Gutiérrez y eran los días en que entrábamos en la recta final.

Daguerratipo

El día del ataque a Rivas, Panchito Gutiérrez, origi-
nario de Diriamba y combatiente del Frente Sur,
fungía como responsable de la ametralladora .50, la
pieza pesada más notable hasta entonces en manos
del FSLN, arrancada al ala de un viejo «Mustang» en
los talleres de soldadura mecánica de la hacienda La
Lucha de don Pepe Figueres. Panchito había car-
gado la pieza a sus espaldas todo el trayecto que la
columna jefeada por el padre Gaspar García Laviana
hubo de recorrer desde el filo de la medianoche para
llegar a las goteras de Rivas antes del amanecer. Él
mismo emplazó la pieza en la tina de un pick-up,
que fue estacionado a dos cuadras del cuartel de
la G.N.

Pancho era formalito como un muchacho de escuela de esos que se sientan en primera fila, hablaba poco, era terco. Una vez, en una de esas casas
mal amuebladas y desprovistas de todo que eran las
casas de seguridad del FSLN, campamentos transi-
torios instalados en habitaciones vacías donde sólo
faltaba el fuego de las hogueras para sentirse al aire
libre, Panchito se encontró un antiquísimo número

de *Play Boy,* manoseado y descuadernado, y su única reflexión en voz alta mientras pasaba con indiferencia las hojas de la revista, fue que aquellas mujeres no existían ni habían existido nunca.

Eran trucos de la propaganda capitalista, mujeres comunes y corrientes retocadas y retocadas en la fotografía hasta sacarles aquella apariencia sobrenatural. No valieron argumentos, nadie lo sacó de allí.

Él mismo emplazó la pieza en la tina del pickup, las horas que la cargó a la espalda por barreales, lomas, pedregales, nadie sabe cuántas fueron. Fue él quién rompió los fuegos contra el cuartel, jineteándola como un caballo brioso, caliente al rojo la ametralladora sin jamás soltarla y así le dio el día, protegiendo la retirada de la columna, el cura Gaspar

Panchito Gutiérrez.

llamándolo y él aún disparando ya en la claridad del alba.

Lo mataron y amaneció junto a la .50. Aún ya muerto la guardia temió acercarse al pick-up de la camioneta, aquellos hombres no existían ni habían existido nunca.

Centroamérica, final de juego
en los Siete Mares

Centroamericano es, por lo tanto, todo aquello que como actitud, objeto o manifestación cultural, por causa de daño en la cuna, ceguera congénita, ánimo de concesión permanente al medio, o mera pendejada consciente o transmitida por la herencia provinciana, pierde la posibilidad de acceso o conexión con lo universal, y en vez de reflejar en términos dialécticos cualquier ruptura o avance, adelanto, descubrimiento, progreso, renovación, o innovación, se acomoda al giro vicioso de la rueda de la bicicleta.

Una de sus categorías es, como ya vimos, el arte vernáculo sin consecuencias, la tramoya folklórica que contribuye al estancamiento de la dinámica popular en la cultura y complace por lo tanto la inofensiva participación de la tradición en el hecho cultural diario, antiguo propósito de la estructura de dominio y dependencia impuesta por los pudientes.

Son también categorías de lo centroamericano, toda suerte de conmemoraciones, juegos florales, concursos, veladas, academias, ateneos, asociaciones artísticas, por medio de las cuales se celebra de manera constante la exhumación y vuelta a sepultar de la cultura heredada, de modo que el tiempo sólo cumple en este rito el papel de un sudario nunca aireado, que desagrega formas y experiencias, y empobrece y vuelve cada vez más enjuto el cadáver cultural. Agréguense casas editoriales ministeriales, escuelas de bellas artes y conservatorios oficiales, así como suplementos y revistas culturales.

Pero donde mejor campea lo centroamericano es en la actitud creadora individual, que se trasluce no sólo en la obra de arte, sino mejor, en una conducta frente a la vida y frente a la cultura misma. Por lo general, los malos artistas no son capaces de entender ninguna otra cosa, y tampoco entienden la necesidad de los cambios en el mundo, desde luego que están felices con todo aquello que les rodea, incluyendo sus propias obras de arte cuando alcanzan categoría oficial, premios, diplomas, pergaminos, medallas y recompensas dispensadas en las celebraciones rituales que los pudientes hacen en el bosque mortecino.

Su falta de preocupación, o al menos de curiosidad por lo nuevo, arrastra también su insensibilidad frente al anquilosamiento del sistema y caen pronto en la necesidad de defenderlo de manera abierta, o tímida, como manera de seguir sobreviviendo sin molestias, ni inquietudes. La necesidad vital de la renovación del conocimiento, el acopio de nuevas formas y el aporte a esas nuevas formas, la participación activa en el fenómeno de la renovación constante de la literatura, o de la pintura, está ligada a la necesidad consciente de la renovación del mundo y quien no quiere que cambie Centroamérica, mal podría querer formas nuevas en el arte, entre nosotros el anacronismo de las manifestaciones en la cultura tiene una fatal correspondencia con el anacronismo de las estructuras sociales. Por lo tanto, la cultura centroamericana a la cual nos estamos refiriendo, es una celebración de ese mismo pasado que los pudientes no quieren cambiar.

Pero también está de por medio la modernidad malentendida, o pobremente asimilada, lo cual viene a ser otro requisito de lo centroamericano; no sólo la imposibilidad de acceder al mundo, sino la imposibilidad de entender adecuadamente los cambios, lo nuevo, para terminar acomodando la novedad en el féretro. De allí que no sea tan sencillo detectar o captar, a veces, dónde está el límite de la insensibilidad hacia afuera, dónde comienza ese territorio pegajoso, lamoso, de lo centroamericano cuando se envuelve en esa falsa modernidad; Manlio opina que la pintura con todos sus arrastres a la vez anacrónicos y sincréticos, resulta ser el terreno más resbaloso.

Lo centroamericano es más sencillo verlo en la pureza de la conformidad por lo antiguo, porque se trata ya de un plano elemental en el que algún tipo de arte provinciano se llega a defender con candor como clásico; sí, también tenemos lo clásico centroamericano: el *hai kai,* el soneto o los versos asonantados, siguen siendo clásicos; el *hai kai* como una introducción falsa de la modernidad que en un momento se estimó calzaba bien con la necesidad de una expresión mágica e instantánea frente a la naturaleza tropical, muy centroamericano eso, y así se volvió clásico en la patria grande; el soneto y el verso medio en general, como una reacción intemporal al verso libre que aún no termina de asimilarse.

Pero volvamos al individuo, al artista en singular, que andando por el bosque tumefacto ha elegido el arte como forma de manifestación personal por causas muy diversas que para lo centroamericano y sus consecuencias, pueden incluir la vocación, y la inspiración.

La vocación. Debe reconocerse que al asumir el arte como llamado, se puede partir de un acto de elección legítimo, sobre todo si se trata de una escogencia de la temprana juventud y no de una vocación tardía, de las cuales habría que desconfiar más. El medio, la imposibilidad, la conformidad, la falta de entendimiento de la tarea en perspectiva, corrompen ese impulso original en Centroamérica; los altos muros están allí, impasibles, el bosque se vuelve impenetrable y el artista centroamericano comienza a labrar día a día su fracaso, a transformar su sensibilidad original en una habilidad para percibir lo falso y lo espurio como legítimo, a confundir lo estentóreo con lo nuevo, a tratar de rescatar formas ya viejas y que alguna vez fueron nuevas lejos de las fronteras centroamericanas, y a incorporar a su universo cerrado las experimentaciones formales per se, o los desafíos provocadores al gusto establecido válidos en otras latitudes y que su transferencia de medio vuelve desde el principio inofensivos; y cuántas veces lo abstracto y otras cuántas lo realista, lo abstracto como la mejor forma de aparecer moderno y esconder que no se es de verdad artista, y lo realista como la manera más espuria de asumir falsamente un compromiso con la realidad: La pobreza mal pintada, la cabeza de indio con los ojos desorbitados por el terror o el hambre, cuán centroamericanos.

Y la inspiración, la inspiración como pretexto permanente, continuado, el paso fatal de la sensibilidad a la sensiblería, la dulzura en dulzor, el rigor en concesión, el trabajo en chapucería, la disciplina en improvisación, el sentido crítico en alegre repicar de la máquina de escribir.

Dispendio, malbaratamiento, concesión, por esa pendiente se resbala, de la vocación se pasa a la inspiración y nos llenamos de arte centroamericano, la cuota del día, el poema para este fin de semana en el suplemento, el libro que es necesario completar para el concurso, la obra maestra a ver si sale, si me premian. Y los altos muros inexpugnables que crecen todos los días rodeando el bosque.

DESPUÉS

DESPUÉS

Los viajes de Julio Cortázar a Nicaragua

Dejando por aparte su incursión clandestina a Solentiname en abril de 1976, podemos decir que los viajes de Julio Cortázar a Nicaragua después del triunfo revolucionario del 19 de julio de 1979, fueron cinco:

1. Primera llegada junto con Carol Dunlop, en septiembre de 1979, París/Martinique/Panamá (donde le roban el pasaporte) y hacia Managua en el avión ejecutivo de Somoza. Su estadía dura hasta finales de noviembre, asiste a los funerales de Carlos Fonseca cuyo cadáver es traído desde Zinica a Managua; se va después de la nacionalización de las minas.

2. Tras un largo período en que no volvió (aquí habría que preguntarle a Tomás, a Claribel ¿no volvió realmente?) llega en marzo de 1982 para la reunión del Comité Permanente de Intelectuales por la Soberanía de los Pueblos, junto con Chico Buarque, Mariano Rodríguez, García Márquez, Matta...

3. Está de nuevo en Nicaragua al poco tiempo, para el III aniversario de la revolución que celebramos en Masaya, julio de 1982. Se queda hasta

finales de agosto, o primeros de septiembre. Regreso imprevisto a París con Carol, enferma de muerte. Recordar San Francisco del Norte, El Velero.

4. Cuarto viaje, enero de 1983. Vuelve ya sin Carol. Vigilia en Bismuna, orden de la independencia cultural «Rubén Darío». Visita final a Solentiname.

5. Último viaje, julio de 1983. IV aniversario de la revolución, acto central en León. Entrega de títulos de reforma agraria en El Ostional. Las madres de Belén.

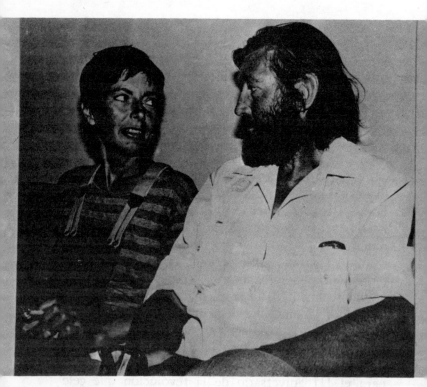

Carol y Julio.

Julio, días del triunfo, 1979. León

La medianoche del 17 de julio aterrizamos en el campo Godoy, una pista de avionetas fumigadoras en las vecindades de León. Un vuelo de casi dos horas desde San José sobre el mar, siguiendo de lejos la línea de la costa. El ingenio de la guerra había proveído de iluminación nocturna a la pequeña pista, dos hileras de luces amarillas y una flecha roja en la cabecera, casi sofisticación. Olor de insecticida al aterrizar, sombras en traje de fatiga, armas, vehículos de toda clase, abrazos. Son dos avionetas, Ernesto Cardenal y yo venimos en la que aterriza primero, junto con Juan Ignacio Gutiérrez, médico de la Junta. Robelo, doña Violeta, llegan en la segunda.

Amanecemos en una residencia abandonada por su dueño algodonero que ha ido a pasar la guerra a Miami con su familia, allí están instalados ya Daniel, Tomás, Jaime. Un tranquilo barrio residencial en la salida al balneario de Poneloya, casi se oiría a los aspersores diseminando el agua sobre el césped en fina lluvia traslúcida, si hubiera agua. No hay electricidad tampoco, pero la restablecerán más tarde. Hemos dormido en colchones desparramados sobre el piso, sin ninguna sábana. Hace calor, mientras Juan Ignacio nos vacuna contra el tétano.

Muy temprano nos reunimos en el patio con Dora María, sentados en rueda en grandes mecedoras leonesas. Pálida y segura, sonríe, fuma, asiente. Dora María Téllez, jefe militar y jefe política de la plaza de León, veinticinco años. Heroína de la toma del Palacio Nacional el 22 de agosto del año anterior, dirigió después aquí la toma de la ciudad, el asalto al comando departamental de la G.N., de donde el general Everst (Vulcano) tuvo que huir amparándose en prisioneros, mujeres, niños, hacia el Fortín, una vieja fortaleza militar en las afueras de la ciudad, para ser expulsado nuevamente de allí por el pueblo insurreccionado.

Ahora León está liberado por completo y es la sede del gobierno revolucionario, la Junta ya está en la ciudad. Dora María nos explica que para defender León hay que avanzar sobre las poblaciones vecinas ubicadas en el camino a Managua; no trincheras circulares, sino una defensa activa, de conquista de nuevas posiciones, de nuevas plazas. Y ese día ya las columnas sandinistas están peleando en la Paz Centro, en Puerto Somoza, van hacia Nagarote. El enemigo ignora que ese día León no tiene más que cincuenta combatientes de línea, armados con armas orgánicas; todas las fuerzas pelean en la avanzada, y otras han sido desplazadas hacia la retaguardia, donde el ejército de Somoza aún conserva unidades organizadas, Somotillo, El Sauce, Achuapa. Pero Dora María fuma, sonríe, asiente, de todas maneras la ciudad parece llena de guerrilleros armados hasta los dientes, hay muchachos en uniforme y con armas de toda clase por todas partes, la magia visual de la insurrección.

Antes del mediodía salimos para León. La proclamación de la ciudad como capital provisional va a hacerse en un acto en el paraninfo de la Universidad, estamos hablando del 18 de julio de 1979. Se organiza la caravana con automóviles, jeeps, camionetas, piñas de guerrilleros en cada vehículo, todo el mundo quiere ir en la caravana que atraviesa la calle Real. En cada esquina hay retenes, barricadas.

La Universidad, el paraninfo con sus puertas de cristal clausuradas, que ahora se llena de periodistas, fotógrafos, cámaras de televisión. Los miembros de la Junta, y Tomás, Jaime, ocupamos los altos sillones labrados, bajo los retratos de los próceres, clérigos y académicos que ya estaban allí para los tiempos de las lejanas algarabías estudiantiles, las asambleas, las manifestaciones que desde este recinto, donde siempre brillaban los candelabros aunque fuera de día, salían a las calles para enfrentar la guardia. Allí está la misma bandera ensangrentada del 23 de julio de 1959, y casi estás oyendo las voces, las arengas de Fernando Gordillo, los aplausos, y a los gritos de ¡muera Somoza! ¡abajo la dictadura! se arremolinan los estudiantes en las puertas con las banderas, es como para llorar si hubiera tiempo, Julio.

Y otra vez con Jaime en el mismo paraninfo donde instruimos a los estudiantes sobre el *boom,* sobre la nueva novela, sobre *Rayuela,* donde oímos la noticia de que había caído el Che, hemos vuelto a la Universidad. Y cuando salimos a la calle nos sigue la multitud, todo el mundo anda lanzado a la mediacalle este mediodía en León, la procesión de la revolución, entusiasmo, ansiedad, alegría, esperanza, mítines relámpago, discursos en las esquinas, entrevistas de prensa bajo el cielo que empieza a nublarse, ahora desde el cuartel de los bomberos caminamos hacia el auditorio Ruiz Ayestas de la Universidad, donde están velando a Fanor Urroz, el segundo jefe militar de León, que cayó en el ataque a la Paz Centro. Las banderas rojinegras tan cerca, la textura de la tela de que están hechas tan real, las manos que las sostienen entre la multitud tan firmes, igual agarrarían un fusil, la firmeza humilde de los pobres que anda ahora a media calle.

Partimos con la caravana hacia Chichigalpa donde se celebra una concentración popular en el estadio de béisbol, serán las cuatro de la tarde. Marimbas, cohetes, canciones, *Trabajadores al poder,* corea el canto la multitud, y *María rural* en todas las gargantas, por allí anda el grupo Pancasán con la canción que había compuesto Arlen Siu y que te evoca tan limpia aquellos días, una canción como nunca hubo otra.

Y la caravana otra vez en movimiento hacia Chinandega al anochecer. Por los caminos rurales vienen llegando columnas guerrilleras que se van concentrando frente al Hotel Cosigüina clausurado y que mandamos abrir para que la tropa se aloje. Pies descalzos, botas destrozadas, vestimentas raídas, los combatientes atraviesan las calles en la oscuridad, y en la oscuridad se escucha el choque de sus armas contra el pavimento, les habla Jaime, habla Daniel, les he hablado yo, y nos escuchan silenciosos en la noche liberada mientras sopla desde el mar un lejano aire de lluvia.

Y de vuelta en la casa esa noche, estoy conversando con Omar Cabezas, a quien veo por primera vez en la vida, los dos sentados en el piso. Habla el Moro, alto, moreno, corpulento, sentado igualmente en el piso, el refilón vivo de un balazo en la ceja: después que volvimos de Chinandega ha habido una escaramuza con guardias que van huyendo, cerca del cruce de la carretera entre Chinandega y Corinto. Una escaramuza, guardias ocultos, se hace media noche y las voces son como de sueño.

Y amanece el 19 de julio. Salgo del cuarto porque estoy oyendo la voz de la Dora, Polo Rivas ha llegado hasta el Open con las tanquetas recuperadas a la guardia, estamos ya en las afueras de Managua, el frente occidental domina toda la carretera. Y a la hora del desayuno tan agitado en la cocina, otra vez comiendo de pie la ración de gallopinto, empezás a darte cuenta que hoy es el día, los días así no existen hasta que terminan, pero hoy es el día, la música de *Las mujeres del Cuá* en todo el dial del radito negro que suena encima de los azulejos del pantry, *La tumba del guerrillero,* esa música está dominando el aire, Radio Tiempo de Managua a la cabeza de una cadena de radioemisoras, es como una magia suave, un toquecito cordial pero firme a tu incredulidad, abrí los ojos, escuchá, podés caminar y a lo mejor ni sentís el suelo, un colchón de nubes en el suelo, hoy es el día, como si fuera una partida de béisbol el locutor está narrando con entusiasmo que los primeros camiones enracimados de guerrilleros están entrando a Managua, oís los gritos, las consignas, las columnas están arribando desde Carazo por la carretera sur, vienen también por la carretera a Masaya, la caravana a la altura del Camino de Oriente, las tanquetas embanderadas de rojo y negro de la columna blindada de Polo Rivas ya están en Nejapa, y el Frente Norte viene bajando desde Sébaco, confluyendo de Estelí y Matagalpa, las avanzadas del Frente Nororiental que llegan desde Juigalpa y desde Boaco están ya en San Benito, juntándose con los que bajan de Matagalpa y de Estelí, han abierto las puertas de la cárcel Modelo en Tipitapa, han tomado el aeropuerto, hoy era el día.

Y todos los de la casa concentrados de pronto frente a la pantalla del televisor, la imagen de Sandino quitándose y poniéndose el sombrero que se repite y se repite a los acordes del himno del Frente Sandinista, ésa fue la mejor prueba de la existencia de ese día, Sandino quitándose y poniéndose el sombrero la mañana del 19 de julio de 1979 en todas las pantallas de televisión, quién te iba a negar que no habíamos ya triunfado y que existiría desde entonces un 19 de julio de 1979.

La decisión es que ese día no nos iremos a Managua, hasta el siguiente. Pero Henry Ruiz insistía desde el aeropuerto, donde acampaban ya sus fuerzas con las de Bayardo y Luis, que era necesario que la Junta hablara con Bowdler. Bowdler, Mister Bowdler, repetía la voz de Henry por el aparato de radio, comunicándose con Daniel, «Oficina» que era Managua, llamando a «Taller» que era León, la estación portátil de «Oficina» trasladada ahora al aeropuerto, cuartel de la Dirección Nacional.

Mister Bowdler ya estaba en Managua y seguía jodiendo con la ceremonia de trasmisión de mando que habíamos aceptado en San José, antes de que Urcuyo nos hiciera el gran favor de negarse a renunciar. Los yankis siempre insistían en una «transición ordenada» aunque Urcuyo ya había huido, y qué transición ordenada, desde la mañana de ese día los guerrilleros del Frente Occidental se jabonaban en la bañera de Somoza en el búnker. Había que hablar con Bowdler, con los cancilleres del Pacto Andino, había que manejarse. Manejarse, Julio, hermano, cuánto hemos aprendido de esa palabrita.

Y Daniel me dijo que ni modo, yo tenía que ir.

Y esa tarde del 19 de julio de 1979 volé a Managua, me había vuelto experto en Bowdler después de tantos días de negociaciones en Panamá y en Costa Rica. Modesto Rojas pilotaba la «Aerocommander» que seguía serena su rumbo a lo largo de la costa del lago, las planicies inmensas hacia el sur perdidas en la bruma del atardecer, las primeras elevaciones rocallosas de la sierra de Managua, los altos contrafuertes duros y sus nervaduras borrosas, y hacia el norte, la masa negra del Momotombo y las pequeñas olas del lago rizándose y lamiendo inmóviles la costa sin ningún ruido.

Y las luces pobres, dispersas, de Managua en el crepúsculo. La vi entonces desde el aire, de pie entre ruinas, bella en sus baldíos, pobre como las armas combatientes, rica como la sangre de sus hijos. Managua, ésta era Managua.

La estrategia del águila

1. *El águila es calva porque no tiene un pelo de tonta*

Tanto se ha hablado de la contradicción del ser latinoamericano frente a lo europeo (Europa en todo caso como la lejanía exquisita adoptable o digna de rechazo) igual que se habla ahora sobre la posición de ese mismo ser frente a la contradicción oriente-occidente (más precisamente y en términos de uso semántico, la contradicción este-oeste) sin que se hable tanto como se debería de la contradicción Estados Unidos-América Latina, que es mucho más importante porque allí el ser, se arriesga definitivamente a dejar de ser.

En los días de *Rayuela* la proposición de aquel ladrillo negro de propiedades mágicas iba más hacia la fijación, y la resolución consiguiente, de la contradicción Europa-América Latina; a uno se le ocurría entonces, porque el libro se abría ontológicamente hacia ambos mundos, que Cortázar se quedaba de aquel lado, gracias a ciertos temibles antecedentes: había nacido, aunque accidentalmente, en Bélgica; París era su patria de adopción, y para mayor desesperanza hablaba el español con erres gordas.

Al fin y al cabo, el intelectual latinoamericano amamantado en estas tierras donde no abunda la leche, sólo necesitaba embarcarse un día, cruzar el Atlántico y bajar en Marsella o en Barcelona para que todo aquello llegara a convertirse nada menos que en un viaje sin retorno. El papel de América Latina era exportar postres, como bien decía Manlio Argueta en las pláticas de mediodía de Los Siete Mares de San Salvador, cacao, banano, café y Chauteaubriand de regreso con unas pizcas de calor/color local pringándole el abrigo.

Pero *Rayuela* no era una novela de París. Nuestros escritores latinoamericanos (y ésta es una de las marcas inequívocas de lo provincial latinoamericano) fijaban a finales del siglo xix la acción de sus cuentos y novelas en París, donde nunca habían estado; y no sólo eso, mandaban a imprimir sus libros en las imprentas francesas, en español, con todo lo cual se demuestra que existía una irreprimible nostalgia artificiosa que era por extensión, una impotencia o una imposibilidad.

Rayuela era ya una novela latinoamericana, de este lado, no la lejanía exquisita sino la lejanía como contrapunto, Oliveira y Talita regresaban, volvían de este lado, y Europa quedaba de aquel lado. El asunto, para lo que importa en cuanto a sus consecuencias, es que Cortázar se quedó asimismo de este lado, y el Sena, como cualquier río San Juan verde y bravío vino a desembocar al fin y al cabo en el Gran Lago de Nicaragua.

Si usted asume incorrectamente que el enfrentamiento dialéctico es entre dos viejos continentes, el de este lado y el de aquél, la pericia del gusto y el amor al refinamiento lo obligará sin duda a elegir aquél (la pátina es más antigua y menos republicana, los palacios son verdaderamente viejos y no copiados de los catálogos de arquitectura de fin de siglo y las ruinas son grecorromanas y no indígenas). Pero si más correctamente usted asume que la oposición dialéctica es entre lo viejo y lo nuevo, y como detonante de lo nuevo pone la posibilidad permanente de la revolución, del cambio, de la renovación, toda esa labor triptolémica que decía Rubén, (Triptolemo, haciendo la reforma agraria en nombre de Ceres) deberá entonces reconocer que la escogencia verdadera se encuentra de este lado.

Hay que tomar en cuenta, pues, ese asunto de la renovación dialéctica, que sí tiene que ver con el ser latinoamericano cuando de la escogencia consciente se trata, y quien no logra discernirlo así perece en las garras de la nostalgia no cumplida y acaba envuelto en el sudario de la imposibilidad. Se puede envejecer hablando el español con erres gordas, sin ser Cortázar.

No pocos intelectuales latinoamericanos han sido incapaces de comprender el dilema, lo crucial que se vuelve esa escogencia, mucho más importante que aquella otra tan llevada y traída, la del este-oeste. Este, o éste, que como se ve, trata de implicar una adopción fatal, la trampa armada por aquellos que con no tan sanas intenciones, te ponen a escoger.

El enfrentamiento este-oeste es una categoría filosófica muy europea, y una categoría política muy norteamericana, con lo cual quiero decir que para el ser latinoamericano no es ninguna categoría.

Evidentemente Europa Occidental tiene una frontera con Europa Oriental, y hay intereses concretos en contradicción a lo largo de esa frontera, a este lado de la cual se suele situar una serie de valores que se han dado en llamar occidentales y que los latinoamericanos, por supuesto, no rechazamos. También estamos claros que los cohetes de medio alcance que los Estados Unidos ha colocado a lo largo de esa frontera, están allí para defender a los europeos en el escenario de una guerra nuclear limitada que el presidente Reagan mismo ha dicho no tiene por qué poner en riesgo a las ciudades norteamericanas. Sospechemos que de alguna manera ese enjambre de cohetes también ha sido puesto para defender ese catálogo de valores occidentales, pluralismo, democracia parlamentaria, libertad de palabra, respeto al individuo, valores en los que proclaman estar interesados los ideólogos de la nueva derecha que ahora encienden sus hogueras en las cavernas de la Casa Blanca.

Aunque no podamos dejar de tomar en cuenta que de ese conglomerado de valores en América Latina sólo hemos recibido las excrecencias, nuestra contradicción no es con occidente, ni podría serla, sino con su gran defensor militar, Reagan mismo, que se pone el escudo nuclear al brazo para pelear por occidente, y de paso trata de aplastarnos a nosotros en Nicaragua en nombre de los valores de occidente.

Desde donde pasamos a la tercera de estas contradicciones, la de América Latina con los Estados Unidos, que se da de manera renovada y descarnada como choque verdaderamente frontal y sin tregua alguna, a partir del triunfo de la revolución sandinista en 1979.

Piense usted en la ironía que representa el hecho de que una revolución popular, que proclama la independencia nacional frente al coloso del norte, llamado así con cierto miedo y cariño por algunos, y con odio manifiesto por otros, se esté dando en un país pequeño, pobre, débil, sin recursos económicos, sin petróleo, sin desarrollo industrial, con una enorme masa campesina que apenas surge a una forma moderna de organización productiva, con un remedo de burguesía servilizada en su espurio contacto carnal con el imperio, y al imperio en capacidad de acercarnos a su propia conveniencia y antojo sus fronteras estratégicas. (Nicaragua, que limita al norte con los Estados Unidos; al sur con los Estados Unidos; al este con el *Nimitz* y toda su flota de acompañamiento; al oeste con el *Eisenhower* y toda su flota de acompañamiento; y por el cielo con los aviones espías «R-4» y «U-2», suerte que aún nos queda el subsuelo sin la presencia del buen vecino.)

Y piense usted en que lo único que este país tiene es su voluntad, su claridad de miras, su intransigencia histórica, su pueblo en armas, su habilidad política. Irónico, he dicho, porque a lo mejor una revolución así, con esta voluntad y esta decisión y este coraje irreductibles sería más cómoda para América Latina sucediendo en un país grande del cono sur, y allí andarían apurados los yankis tratando de extender sus fronteras portátiles tan lejos, y a lo mejor conseguirse una Honduras por aquellos lados, no sería tan sencillo.

Pero la revolución sandinista no es un accidente en la historia, ni ironía del destino, ni mucho menos; no nos tocó en una rifa, la hicimos y la seguimos haciendo. Tamaña desproporción entre el coloso del norte y nosotros, simplemente la traigo al caso porque conviene no olvidarse, como muchas veces se olvida, que esto no es la guerra de las galaxias, ni se trata de dos superpotencias frente a frente.

El dilema es, por lo tanto, bastante complejo. No podemos remolcar a Nicaragua lejos de las costas de Centroamérica, y anclar plácidamente frente al puerto de Odessa; tenemos que defendernos de Reagan siendo parte de occidente, y del traspatio del defensor de occidente; tratar de establecer y consolidar de verdad, y no en la abstracción, lo que desde el siglo de las luces occidente considera sus mejores valores. Lograr un tipo de democracia que se corresponda con nuestra tradición de lucha por ser independientes y por definir nuestro perfil histórico, en una vecindad geográfica tan llena de riesgos y que nosotros no escogimos. Una democracia que funcione y devuelva a la palabra democracia su sentido original, práctico (el hecho de que haya sido necesario agregar a la palabra democracia el cognomento «popular» sólo demuestra la ineficacia y el desgaste del término para expresar su sentido de «poder del pueblo», en términos occidentales) sin tener que sonrojarnos por el hecho de predicar la democracia según los cánones clásicos y no practicar sino el totalitarismo, que nunca ha dejado de ser occidental y ése sí existe en América Latina, Centroamérica es su gran reino; el reino de la violación constante de cuantos valores occidentales a alguien se le puede pasar por la cabeza. Occidentales y cristianos, y sin que Estados Unidos jamás se inquiete, por qué habría de inquietarse.

Julio/septiembre, 1979. Nicaragua Libre

Son los días en que el suelo trepida todavía sacudido por las ondas expansivas, la revolución se siente bajo los pies; cuando salíamos del auditorio del Banco Central el 27 de julio de 1979 tras anunciar la nacionalización de la banca, el suelo seguía temblando, no cesaban los grandes derrumbes subterráneos, se partían las montañas, la lava hirviente bajaba en cascadas incandescentes, el paisaje se alteraba abruptamente bajo el peso del cataclismo.

Los días en que vivíamos hacinados en el Hotel Intercontinental de Managua entre legiones de periodistas; Daniel y yo éramos vecinos de celda en el tercer piso, a los cuartos sólo llegábamos por unas horas para mal dormir y seguir conversando discutiendo planeando y luego salir a la calle para tratar de ordenar el mundo en desorden, encauzar las corrientes de lava hirviente, moldear el magma bullente, sentados día y noche a aquella inmensa mesa de sesiones de la casa de gobierno, día, noche y madrugada, acampando allí para recibir credenciales de embajadores, visionarios con proyectos para cambiar el curso de los ríos y volcar las aguas del lago Coci-bolca en las del lago Xolotlán y convertir así a Managua en puerto del Atlántico y del Pacífico; peticiones de alumbrado público de los alcaldes de los más humildes caseríos de la frontera con Honduras, campesinos que sabían de manantiales de petróleo en sus comarcas, denuncias sobre tesoros escondidos dejados por los guardias en huida, túneles secretos de la seguridad somocista colmados de cadáveres, la bodega de la mujer del viejo Somoza en un sótano de Managua llena de regalos que nunca había abierto, el verdadero lugar donde estaba enterrado Sandino, madres de héroes con los retratos de sus hijos desaparecidos, y los príncipes destronados de la empresa privada con sus interminables listas de agravios.

Son los días en que andábamos en busca del país, tratando de devorar el país, caminatas, caravanas, actos, juramentaciones, beberse el paisaje, beberse a la gente, miradas, gestos, risas, preocupaciones, embriaguez del país ya nuestro, cambiarlo, darle vuelta, encontrar las costuras de la injusticia y del sufrimiento, avidez, nostalgia viva, ganas de hacer y deshacer, el nudo ya permanente en la garganta, el sentimiento alerta, el amor tan grande y la rabia tan profunda, ser sentimental se volvió una forma de conducta. Y también aprendiendo a hablar, yo era un campeón de oratoria estudiantil entrenado en las asambleas de la Universidad que hasta ahora tenía que aprender a hablar, olvidate de la retórica, aquí lo que la gente quiere es la verdad, que le hablés a los ojos, que le digás en lo que andamos y para dónde vamos.

Macuelizo, Limay, Yalí, Palacaguina. Las aspas del viejo «Sikorski» destartalado baten el aire frío mientras la brumosa soledad de los montes duros y azules nos alcanza por la portezuela abierta del helicóptero que cruje con el viento, pasamos como una sombra por encima de los pinares que reposan en tranquila oscuridad en las hondonadas, entre las crestas de los montes pelados y rotundos, abismos que se abren lejanos y tan cerca, y de pronto otra vez sobre la lejanía del abismo después de volar casi a ras de los pastizales amarillos que se mecen tranquilos, perdidos sobre la Concordia, Yalí, Condega, aterrizando en lejanos pueblos asombrados, caseríos ignorados, vacas, caballos que huyen al galope, vienen las mujeres cargando a sus niños para rodear el helicóptero.

La niña rubia, en estas montañas de campesinos rubios, acompasa con el pie descalzo mientras canta sin mirarnos, la cabeza hundida para hilvanar mejor los recuerdos de su canción que habla de la guerra de Sandino y los combatientes de uniformes húmedos rodeándola en afanoso silencio mientras el viejo soldado del Ejército Defensor casi ciego que ha venido a caballo para contarnos sus historias de emboscadas y combates con espavientos del sombrero y paseos abruptos por el piso de tambo, llora ahora sin decir palabra mientras oye la canción de aquellos tiempos.

Y al aterrizar nos han preguntado si llegábamos porque habíamos visto la bandera, tenían puesta una bandera en lo alto de un árbol para que se viera desde el aire porque habían oído que era necesario colocar una bandera como señal para que la revolución pasara a verlos en aquellas soledades.

Una escuela, un centro de salud, una escuela, ponemos la piedra, tenemos la madera, una escuela, aquí se hace el pulso de levantarla, un flete de cal un viaje de arena tenemos el terreno una escuela si viera qué hermosura de niños, una escuela, un centro de salud, un camino, una bendición de niños, la escuela, una belleza de niños, una vez hubo un maestro ¿volverá el maestro?

Una escuela una escuela una escuela.

Octubre, 1979. Casares

Ahora Julio Cortázar ya está aquí. Lo fijo bajo la resolana en el balneario de Casares, costa del Pacífico de Nicaragua, sentado en una rústica mecedora playera en el pequeño patio frente al que revienta espumoso y revuelto el mar entre las peñas negras. Las hojas verdes y rojas de los almendros no alcanzan a dar suficiente sombra, pero nadie habla de refugiarse en la vieja casa de madera con sus tragaluces de tablilla enrejillada, como una jaula.

Hemos estado antes en San Marcos, la ciudad natal del viejo Somoza, donde la nueva junta municipal ha sido juramentada; ya se ha dicho que es el tiempo de las juramentaciones, de las caravanas, de aquellos actos públicos que podían durar un día entero (en Ocotal, agosto de 1979, había estado con Bayardo en uno, celebrado en el humilde estadio de béisbol, que duró de las diez de la mañana a las cuatro de la tarde, misa campal incluida) y después hemos venido a recalar aquí con Tomás, Claribel.

En el patio en el que las sombras de las hojas de los almendros se mueven sobre la arena dura como

97

en la superficie de una agua hirviente, oímos el inter-
minable relato de un niño de catorce años sobre sus
experiencias de combate. Julio escucha asombrado,
absorto, poniendo en el niño su mirada reflexiva
y tornando a mirarnos a nosotros con un gesto de
desdén afirmativo, el poder de la incredulidad y la
fascinación consciente de la credulidad, lo que viene
a ser la clave legítima del asombro. ¿Y no andan
también los tigres por las habitaciones vacías?

Al lado, la casa de veraneo de un coronel somocista ha sido convertida en centro comunal, las mujeres de los pescadores nos llevan a ver su exposición de artesanías en concha, troncos lavados por la
marea, coral, estopa de coco. Algo nos regalan de
recuerdo mientras rodeamos la mesa que es el único
mueble en la casa saqueada. Las mujeres hablan con
familiaridad doméstica de la revolución.

Carol Dunlop, yendo de un lado a otro, toma
estas fotos. En algún gabinete cerrado, una carpeta,
una gaveta, en Francia o en Canadá estarán. Hay un
sol de mediodía en ese instante, un resplandor de
mar y las sonrisas, los abrazos de las mujeres, todos
juntos en ese abrazo. Existe ese instante.

2. *Vestir de plumas al águila*

Julio Cortázar supo resolver aquel primer dilema intelectual sobre el hombre de dos mundos, la escogencia de un mundo europeo o de otro latinoamericano. Escogió, volvió, el suyo no fue un viaje sin retorno por mucho que esté enterrado en Montparnasse. Y conocía muy bien los otros dos dilemas, el del este y el oeste, propuesto como una trampa; y el último, el que se refiere a los Estados Unidos, lo resolvió en el hecho concreto de Nicaragua.

Hay retornos, pero también un momento de volver. Y el relieve dialéctico de la costa en la cual debía desembarcar, era Nicaragua, (no vamos a hablar aquí de toda la rica relación de Julio Cortázar con Cuba enfrentada también a los Estados Unidos). Todo esto es muy importante para los intelectuales emigrantes frente a cuyos ojos siempre existirá la posibilidad de divisar un relieve de costa atormentada esperando, una revolución que surge, un pueblo pobre en sus baldíos que mostrará entre sus harapos sus esperanzas, cualquier puerto en el relieve de la costa de América Latina que se extiende en la lontananza viva de la historia; el porvenir de que hablaba Rubén, que calla y espera.

Con Cortázar se acabó el mito del hombre de dos mundos que sólo sabe vacilar en el filo del abismo y acaba por no ser ni de aquel lado ni de éste, bajo el riesgo de que después de tanto remilgo, meditación y parsimonia, se termina por pasarse con todo y la cartuchera del lado del coloso del norte, buen vecino o búfalo de dientes de plata, como se quiera, que es cuando la escogencia tiene realmente consecuencias trágicas.

Se puede envejecer en París, de manera inofensiva, desecarse, descarnarse; o de este lado, en México, en lo alto de la pirámide como simple observador subjetivo del mundo, lo cual tampoco hace daño a nadie; pero pasarse activamente al bando del coloso y ser pieza de sus conspiraciones ideológicas, de sus monumentales maquinaciones y formidables lavados de cerebro, ya pasa de castaño a oscuro. Por muy buen poeta que alguien haya aprendido a ser, es una tragedia acabar tocando con Reagan el piano a cuatro manos y jurando que en Nicaragua la marea roja del comunismo internacional está ahogando bajo el más abyecto totalitarismo bolchevique al ser latinoamericano, al individuo. Cuando a semejante pobreza de esquema se le presta la firma y el prestigio, sólo para quedar en paz con el diablo y su sueño americano, ya no queda más que aceptar que a los niños en Nicaragua los freímos en aceite. ¿Y para qué te sirvieron entonces todos tus esfuerzos de abstracción poética, todas tus complicaciones de rigor verbal, todos tus enigmáticos aportes a la lengua?

El individuo, la libertad del individuo; el ser, el espacio vital del ser. Algunos intelectuales latinoamericanos, para no ser menos liberales que algunos intelectuales de los Estados Unidos y para no desentonar con el espíritu de la Alianza para el Progreso, ya que Kennedy admiraba a Robert Frost y llevaba a Pablo Casals a tocar en la Casa Blanca, se concedieron un moderado espacio de conducta crítica frente a las políticas imperiales de los Estados Unidos, mientras la agresividad extrema de la nueva derecha metida en la misma Casa Blanca donde antes se oía el violoncello de Casals, no les cerrara ese espacio. Pero cuando el águila empieza a ejercitar constantemente su vuelo, enseña las garras y pone todo bajo su sombra ominosa, hay que batirse en retirada y los pretextos sobran. Es entonces cuando el concepto de libertad, o la palabra libertad, se vuelve tan elástica como el chicle «Adams» y hay que defenderla porque si no, se la come viva el totalitarismo sandinista.

La libertad se vuelve entonces el más obsceno de los fetiches; nada puede sacrificarse en contra de la libertad, el individuo creado en las abstracciones intelectuales no puede perder su espacio vital, las revoluciones sin esa clase de libertad no se justifican. Y venir a preguntarnos a los sandinistas qué pensamos nosotros de la libertad, no hace falta; ya se da por descontado que, por revolucionarios, somos sus enemigos acérrimos. Y además, qué horror, estamos armados.

Si se nos preguntara, lo primero que responderíamos es que individuo y libertad han sido las más de las veces sólo abstracciones verbales en la historia de América Latina; y que los términos de comparación son escasos, o son mentirosos, para medir la libertad en un país sacudido por una revolución y que se defiende a muerte frente al poder de los Estados Unidos, que no trata de destruirnos con intransigencias teóricas, sino con acciones sistemáticas de terror, manipulación, chantaje, desolación, muerte. Es en este contexto donde en Nicaragua el individuo es respetado en su verdadera individualidad, no como objeto de vagas teorías sino en la práctica concreta de su existencia liberada; la libertad no como un asunto a ser dilucidado entre intelectuales, sino con respecto a todo un conglomerado vasto y diverso de hombres y mujeres que prueban a ser libres todos los días bajo la inquina feroz de la secta Moon y los iluminados del destino manifiesto, McFarlane, Kirck-patrick, & Reich, que para desgracia de los amantes de la libertad de óptima categoría, prefieren además la música ambiental de los supermercados a Casals.

Las abstracciones conceptuales resultan ecos de la abstracción misma cuando se trata de establecer un campo de acción, o de combate, en términos reales y precisos, para estas ideas que son hijas de la docilidad y el temor; porque si algo tiene la revolución sandinista es un relieve histórico, nuevo y concreto que tampoco es estático.

Lo menos que podía hacerse, si el águila no vigilara tan de cerca y con graznidos tan estentóreos, es aceptar el sentido experimental que la libertad tiene en una revolución a la que no quieren dejarle ni las uñas para que se defienda; y darle al menos el beneficio de la espera, dejarla progresar en su consolidación y en su desarrollo. Pero bajo el terror ideológico de la era Reagan, lo más fácil ha sido aceptar que fatal e indefectiblemente los sandinistas se encaminan hacia el totalitarismo sin resquicios, y que sólo el *deus ex machina,* Reagan mismo tronante, puede restablecer en Nicaragua el justo equilibrio y la proporción adecuada de libertad conceptual perdida.

En Nicaragua la libertad ha nacido como un fenómeno nuevo para miles que no leen el *Washington*

Times y no saben que existe la revista *Vuelta;* y tampoco tienen acceso a las actas del Congreso de los Estados Unidos donde las discusiones tratan de resolver si se nos estrangula hoy mismo, sin más trámite, o se trata de una muerte a plazos con derecho a un último deseo antes de la ejecución. Permitirles el derecho tan occidental de la palabra a miles de campesinos sin luz eléctrica, carretoneros, vivanderas, mozos de cuerda, maestros rurales que enseñan sin pizarras, milicianos que siembran con el rifle al hombro, y que bien podrían coger un micrófono y explicarte con una lucidez que te dejaría pasmado qué cosa es la libertad entre nosotros. Si es que se les preguntara.

Octubre, 1979. Siuna

Día de la nacionalización de las minas. Con el sorpresivo dramatismo que hacíamos las cosas en aquellos días llamo por teléfono a Julio para invitarlo a venir a Siuna con Daniel y conmigo al día siguiente. Motivo: histórico, lo vas a saber mañana.

El «Aviocar» de transporte militar vuela hacia el Atlántico lleno de dirigentes, escoltas, periodistas, al lado de un viejo «DC-3» también repleto. Tocones y soledad de árboles decapitados entre las hilachas de niebla, bosques antes frondosos y ahora pelados. En el cartapacio va el decreto de nacionalización de las minas.

«La decisión es de ustedes» me diría tres días después el yanki representante de las compañías mineras, sentado a la inmensa mesa de sesiones de la casa de gobierno, de vuelta en Managua. «La decisión es de ustedes, pero están cometiendo un error, sin nosotros esas minas no las van a poder manejar nunca.»

Ahora habíamos aterrizado y esperábamos bajo el sol que los mineros salieran de las galerías para

104

concentrarse junto al plantel donde se recoge la broza y se lleva al viejo molino del siglo XIX que iba a ser expropiado al igual que toda aquella historia. Cualquier cosa, menos haber olvidado las minas.

Allí, en el calor húmedo de Siuna, junto al galponcito que sirve de despacho al aeropuerto (el aeropuerto es una franja café oscuro junto a la que pastan los caballos arrancando a mordiscos el zacate) Carol me ha tomado una foto mientras converso con una pareja de ancianos negros. Los mineros han comenzado a llegar, rodean a Daniel. El silbato de la mina sigue sonando.

Años de miseria y de ruina, de explotación inicua, de abandono, de abyección, de escarnio y de burla, date gusto con las palabras que aquí no sobran. Fue en aquellos meses cuando comencé a coleccionar las piezas de lo que será algún día nuestro museo del horror: fotos, cartas, documentos, cheques, recibos, expedientes, la historia íntima de la relación carnal entre el somocismo y el imperialismo. Entre esas piezas hay ejemplares de los expedientes de trabajo de los mineros, zambos, miskitos, criollos, ladinos, aplastados en las galerías, devueltos tuberculosos a sus caseríos, engañados en la paga, despedidos por inservibles cuando en las radiografías, sólo para eso se las tomaban, aparecía la silicosis. Pero morir en la galería era también violar el contrato de trabajo, y causa de despido. Sí, así mismo. Aquí hay una pieza del museo:

La Luz Mines Limited
Record of Employment
Name: José Villarreina Hernández

El rostro de José Villarreina Hernández lo ves progresar desde la lozanía de su juventud campesina en las fotografías engrapadas sucesivamente al expediente, hasta su decrepitud prematura. *Date of birth:* 12 de abril de 1928. Mira a la cámara en esa primera foto con ilusión, el pelo aventado en dos alas negras hacia atrás. *Date of contract:* 18/4/52, hasta que las arrugas del martirio comienzan a aparecer marcadas a cuchillada viva en su frente, la última foto le ha sido tomada en 1973.

Entró como operario de pozo con 1.25 córdobas la hora, pasó a operario de road gang con 1.60, a driller helper con 1.80, a maquinista de pozo con 2.50, a minero con 2.75. Veinticinco años en los pozos para llegar a 2.75, y su *right thumb print* al pie de cada hoja del expediente a lo largo de esos veinticinco años, no sabe firmar. *Beneficiary in the event of death:* Elsa Obando (Condega). *Names of children:* Blanca Villarreina, (una raya sobre el nombre) Agustín Villarreina, María Villarreina. ¿Para qué mierda querría la mina los nombres de sus hijos?

Event of death: Murió el 13 de julio de 1979, a la 1.30 pm. *¿Hubo descuido del accidentado?* Sí. *¿Por qué?* Por sacar la cabeza por donde pasa el balde sin antes asegurarse que el balde estaba estacionado. *Describa cómo sucedió el accidente:* En ese instante pasaba el balde golpeándole la cabeza. *Muerte:* Instantánea:

ROSARIO MINING OF NICARAGUA INC.

DESPIDO

La Luz ... de Julio .... de 197 9

Señor: José Villarreina H

Presente.

De conformidad con (el) (los) inciso(s) .... (del) (de los) (Art.) (Arts.) (18) (119) del Código del Trabajo, queda Ud. despedido de sus labores de esta Empresa, cuyas causas de despido legal son conocidas por Ud. que ha faltado a su Contrato de Trabajo en esta forma

Muerte del Trabajador.

JEFE INMEDIATO   JEFE DEL DEPARTAMENTO

ROSARIO MINING OF NICARAGUA INC.

DESPIDO

Rosita, 13 de julio de 1979

Señor José Villarreina
Presente.

De conformidad con (el)(los) inciso(s) #4, art. 115 (del) (de los) (art.) (arts.) (18) (119) del Código del Trabajo, queda Ud. despedido de sus labores de esta empresa, cuyas causas de despido legal son conocidas por Ud. que ha faltado a su contrato de trabajo en esta forma.

En el formulario el nombre de José Villarreina está llenado a mano, la fecha en que ha sido despedido, 13 de julio de 1979, cuando ya estaba muerto, también ha sido llenada a mano, los artículos violados por José Villarreina muerto, a mano. Y al pie de la hoja, también a mano y para que no queden dudas, *Causa del despido: muerte del trabajador.*

El 13 de julio de 1979 ¿qué estábamos haciendo? A la hora en que José Villarreina entró por última vez en su vida al túnel cerca del mediodía, ¿dónde estaba la Dora María, dónde estaba el Zorro? ¿Y Elías Noguera, y Omar, y Julio Ramos? Ya teníamos León, la bandera rojinegra ondeaba en las alturas del Fortín, y en Matagalpa la guardia se había rendido al fin en la catedral, y Estelí y Jinotepe, y Diriamba, teníamos Masaya, «Oficina» llamando a «Taller» aquí «Rocío, Rocío» llamando a «Chaparral», el cachimbeo se oía por todo Nicaragua y José Villarreina en la oscuridad del túnel, la mina seguía produciendo oro y el oro seguía saliendo por el río Prinzapolka hacia el Atlántico, los capataces fieros estaban todavía en las bocas de las galerías y los contadores yankis con sus libros abiertos sobre los escritorios, no había desertado aún la guardia nacional acantonada en Siuna, todavía se podía despedir a José Villarreina ya muerto, tantos muertos durante el maridaje:

The above check in full payment of items hereon
General Anastasio Somoza García
Excmo. Presidente de la Rpca. de Nic.
To pay subsidy tax of $ 10.00 per each kilo of gold
shipped by La Luz Mines Limited from July 1, 1951
to december 31, 1951: $ 10.735.00.
Sus attos y SS:
T.N. Slaughter
Manager

THE ABOVE CHEQUE IN FULL PAYMENT OF ITEMS HEREON
THIS VOUCHER SHOULD BE DETACHED AND RETAINED BY PAYEE

PARTICULARS

General Anastasio Somoza
Excmo. Señor Presidente de la Republica
    de Nicaragua
Palacio Presidencial
Managua, Nicaragua

To pay Government Subsidy Tax of $10.00 for
each kilo of gold shipped by La Luz Mines
Limited from July 1, 1951 to December 31,
1951.

PRINTED IN THE U. S. A.

Piezas inmarcesibles del museo del horror, concubinato escandaloso. Sí que tenía gracia, llamarse Slaughter el carnicero de la mina, y con qué finura le hacía la cumplida remisión de la coimería por el negocio sucio al viejo Somoza.

Robo, hambre, miseria, burla, engaño, silicosis, la soberanía se la pasaban por los huevos. Todo hubiéramos olvidado en aquellos días, cualquier cosa menos las minas, aquél fue un acto con rabia; Omar Cabezas leía con solemnidad el decreto de expropiación, y la voz de Daniel rebotaba en el calor pegajoso de Siuna sobre las cabezas, sobre los cascos amarillos de los mineros, apretujados y silenciosos que de pronto aplauden, siguen aplaudiendo. ¿Cantó Carlos Mejía? ¿Dormimos en Siuna al final de ese día histórico?

Daniel siguió viaje hacia Puerto Cabezas en el «Aviocar» ahora más sobrecargado y yo volví con Julio y Carol a Managua. En el avión volaba con nosotros una escoba, recostada a la pared de la cabina. En un trozo de papel kraft, arrancado a una bolsa de mareo, Julio me pasó esta nota:

Sergio, siempre te agradeceré un viaje en el que me diste una oportunidad irrepetible: la de ver una escoba en un avión.

Julio

P.D. La escoba, por si no lo crees, está a dos metros de donde se sienta Carol.

La escoba iba de regreso. Más allá de su presencia surrealista, la cosa es que todavía faltaba mucho por barrer.

Sergio, siempre te agradeceré un viaje
en el que me diste una oportunidad
irrepetible: la de ver una escoba
en un avión.

Julio

P.D. La escoba, por si no lo
crees, está a dos metros de
donde se sienta Carol.

Marzo, 1982. Managua

Hay dos viajes de Julio Cortázar a Nicaragua para este tiempo, muy seguidos, porque volvería para el cuarto aniversario de la revolución en julio. Ahora se trata de la I Reunión del Comité Permanente de Intelectuales por la Soberanía de los Pueblos de Nuestra América, que se inauguró el día 4 de marzo en Managua, Centro de Convenciones «César Augusto Silva» allí donde también Julio recibiría nuestra Orden «Rubén Darío» en 1983 (el centro de convenciones era el country club de los náufragos, su auditorio fue la pista de baile, y los verdes prados de golf allí están todavía).

Managua, capital cultural en el mes de marzo de 1982, no por resobada la frase resulta menos cierta: abríamos una exposición de Julio Leparc en el teatro Ruben Darío, sus *Modulaciones* colgadas en las paredes que doña Hope de Somoza mandó a levantar para oír *Granada* con buena acústica; teníamos mesas redondas, lecturas, simposios, con Julio, García Márquez, Rogelio Sinán; Roberto Matta compraba sombreros de colores en el mercado de Masaya,

Con el poeta Ernesto Cardenal, Ministro de Cultura.

de entonces data el dibujo con crayones *Somoza y Gomorra* que le regaló a mi mujer. Y estaba Chico Buarque, y estaba Antonio Skármeta, que ya se había pasado en León varios meses con Peter Lilienthal en la filmación de *La insurrección;* ahora sí, cerrábamos el triángulo.

Es para entonces que Julio saca del estante Cortázar de mis libros el viejo y manoseado ejemplar de *Rayuela* para una de sus lecturas bajo las estrellas en la noche sandinista, escritores en ciernes, artistas jóvenes, universitarios, soldados sentados multitudinariamente a su alrededor en el césped en la casa «Fernando Gordillo».

Uno de los muchachos le pregunta que para qué sigue escribiendo si hay tanto trabajo político que hacer en América Latina, que se dedique de tiempo completo a la revolución sandinista, la revolución en El Salvador, Chile, Argentina. Julio se defiende, explica, le insisten, se abre la discusión sobre si Cortázar debe seguir escribiendo, o no. Nada está fuera de discusión en Nicaragua, éste es ya un mitin literario.

—A los que me piden que deje de escribir —se pone de pie el gran Cortázar altísimo que nunca dejó de crecer— quiero responderles con una consigna sandinista: ¡No pasarán!

Lizando Chávez, Julio, Gabriel García Márquez, Rogelio Sinan y Rosario Murillo. Lectura en la casa Fernando Gordillo, sede de la Asociación Sandinista de Trabajadores de la Cultura.

Mayo, 1982. Poneloya

La mañana que Tomás me llama para comunicarme la muerte de Julio, mi mujer y yo hemos hablado tanto de él mientras desayunamos, siempre el asombro cediendo paso al recuerdo: el día que ella llevó a Julio y a Carol a Poneloya, una rápida excursión de día de semana a la casa sobre las rocas que es el escenario de *Tiempo de fulgor,* mi primera lejana novela. Van a almorzar al restaurante del Pariente Salinas, una vieja construcción de madera de dos plantas, abierta en el primer piso por los cuatro costados, los rumeros de leña para el fogón de la cocina arpillados alrededor de las mesas, perros, gallinas y al centro el cubo de la escalera que da a los cuartos del segundo piso donde se alojan veraneantes pobres; Poneloya antes fue un balneario exclusivo de quintas privadas, en su mayoría ahora abandonadas, ruinosas y desiertas desde que sus dueños, rumbosos algodoneros de fiestas hasta el amanecer, se han ido en su mayoría a Miami.

Mientras uno de los parientes les sirve, (el anciano propietario del negocio y todos sus hijos son llamados parientes por la clientela) le pregunta a Julio si no es él por casualidad el famoso y renombrado escritor Julio Cortázar; y Julio se asombra, complacido y sonriente, poco faltó para que fuera a traer de la alacena donde guardan los cuchillos y los platos, un ejemplar manoseado de *Rayuela,* (nada extraño de todas maneras que en un país donde se recita de memoria a Rubén Darío en barberías, velorios, cumpleaños y cantinas, ahora junto al divino cisne se guarde reverencia al divino tigre). De vuelta en Poneloya este verano el pariente me ha dicho recordando a Julio: nunca he conocido a un hombre famoso tan sencillo como el gran novelista ya finado, Julio Cortázar.

Lectura en el teatro «Edgard Munguia». Acompañan a Julio los poetas Ernesto Cardenal, Ministro de Cultura, y Julio Valle Castillo.

Terminó el almuerzo. Después de comer Julio se ha dormido en un catre herrumbrado sin colchón en la casa sobre las rocas y se ha levantado ya tarde para mirar desde la balaustrada el océano Pacífico encendido por los fuegos violentos del crepúsculo, aquí todos los crepúsculos son darianos y el mar es siempre como un vasto cristal azogado. Las marcas del tejido de alambre del catre quedan vivas en su espalda, la prueba de su siesta de supliciado frente al Pacífico iluminado de Nicaragua.

Julio 19, 1982. Masaya

Aquí celebramos el tercer aniversario de la revolución. Desde comienzos del año la CIA ha comenzado a tocar de manera más apresurada sus teclas en el registro del terror, estamos ya en guerra abierta. Voladura de puentes con explosivos plásticos, bombas en el equipaje de un avión de Aeronica que deja varios muertos en el aeropuerto Sandino; Brenda Rocha, 14 años, pierde un brazo en la defensa de una represa en Bonanza combatiendo con una compañía de milicias, ésta es ya la guerra nacional contra los filibusteros, cualquiera te diría que estamos en 1856. Un albañil de Managua ¿o era sastre Andrés Castro? derribó entonces de una pedrada a un yanki invasor en la batalla de San Jacinto, se le había terminado el parque. Nosotros, porque los tiempos cambian, además de piedras que las hay suficientes, tenemos regular cantidad de parque. Y buenos fusiles.

Por lo tanto, a estas alturas del campeonato, resulta lo mismo decir «Todas las armas al pueblo», que «Todas las piedras al pueblo». O como en Siuna, o Bonanza, donde ahora las minas están produciendo (ya vé, Mister yanki, podíamos manejarlas nosotros solos) y donde Brenda Rocha, 14 años, se batió contra los filibusteros, también «todas las escobas al pueblo».

Fusiles, piedras, escobas. Cuándo van a pasar. No pasarán.

3. *Desnudar al águila*

Vistas las proposiciones que anteceden, podemos
concluir que el intelectual latinoamericano que mejor
y más seriamente pudo ver y entender la revolución
sandinista como fenómeno latinoamericano, fue Julio
Cortázar; y como latinoamericano él mismo, supo
hacerse cargo de las consecuencias de su compromiso. Sí, el compromiso. No las consecuencias en su
obra de escritor, que pudieron no haber existido,
aunque existieron; sino las consecuencias en su vida,
en sus actitudes y en sus respuestas como intelectual
con una posición política.

Sabía que esa propuesta de gran refinamiento pro-
pagandístico sobre la libertad en abstracto y sus va-
riaciones filosóficas, puesta en el conglomerado de
argumentos agresivos de la administración Reagan,
sirve a la estrategia militar norteamericana tanto
como los preparativos de invasión desde Honduras,
con lo cual también pasa a ser parte de las maniobras
conjuntas; al fin y al cabo, Reagan sólo está luchando
por devolver a los nicaragüenses la libertad que los
sandinistas le han arrebatado, y por rescatarlos del

infierno comunista. Y sirve además de bumerang humanista, para volver a Europa y a los mismos Estados Unidos y tocar allí la conciencia occidental en parlamentos, academias y periódicos. ¡En Nicaragua se están comiendo al individuo!

Cuando un intelectual latinoamericano, un hombre culto y versado de estas tierras alza su pie para ir a endulzar los oídos occidentales con este reclamo filosófico, está cometiendo un chantaje descarado y jugando conscientemente en la retaguardia del águila, cuya estrategia militar también necesita de la apropiada seducción de la conciencia occidental, el águila que no tiene un pelo de tonta.

Es cuando nuestros héroes se calzan los guantes con garras y entran en el territorio de la práctica para abandonar el de la abstracción, porque el propósito de sus florilegios filosóficos es que se les crea, y que se crea a Reagan.

Y entonces te hablan no sólo de hechos, sino de tendencias. No de lo que es, sino de lo que puede ser. No se trata de que las libertades hayan sido suprimidas y de que el individuo ya fue aplastado, sino que la concepción filosófica que sobre libertad e individuo los sandinistas guardan en secreto para mientras pueden aplicarla, indica claramente cuáles son sus malévolas tendencias. Libertad e individuo verán su desaparición en un futuro cercano pero incierto, porque en las entrañas de las aves está escrito que Nicaragua será tarde o temprano un país totalitario. Y al ser así, es porque el proyecto sandinista forma parte de la gran conspiración soviética por el dominio mundial: la virtud que el chantaje tiene es cerrarte las puertas del paraíso de occidente y de allí en adelante, a ganarte el pan con el sudor de tu frente.

¿Y todo para qué? Si querés probar que no tenés tendencias totalitarias ni nunca se te han pasado semejantes pensamientos por la cabeza, aceptá el reclamo, o la dulce sugerencia, de que es necesario hacerle unas cuantas concesiones más al águila, unos cuantos polluelos sangrantes más para apaciguarla mientras ronda, grazna y te clava las uñas, y para que no se siga dudando que tenés esas tendencias, no te acerqués tanto a la Unión Soviética, no les aceptés nada, porque lo que quieren es acabar de seducirte y Dios te libre de su petróleo, para qué petróleo si bien podés alumbrarte con candiles, al águila no le gusta la electricidad comunista.

La revolución confiscada, dicen algunos. La revolución traicionada, otros. ¿Dónde están los antiguos dueños de esa revolución? ¿Dónde los amantes traicionados? No es melodrama: Sus cartas de amor las recibimos todos los días escritas con la sangre de nuestros niños de pecho destrozados por los obuses de mortero, con la sangre de nuestros niños descuartizados, que apenas estaban aprendiendo a caminar, si sabés de otra clase de humanismo que nosotros no conozcamos, vení explicánoslo aquí, con todo el bagaje de occidente.

Y como tenemos tendencias totalitarias, también hemos producido la escasez, la penuria, las colas, todo eso se debe nada más que a nuestra enemistad con las ideas de occidente. Los sandinistas tienen que probar, para que se les crea, que son capaces de vivir en guerra y bajo la agresión, en medio de la abundancia y la prosperidad.

Cuando mis amigos berlineses me relataban sus recuerdos de niño durante la guerra, no olvidaban la sopa de cáscaras de papa por todo almuerzo y sus excursiones a recoger raíces que comían hervidas;

y en toda Europa las colas para comprar lo que no había. En Nicaragua, hay colas para comprar gasolina, faltan las medicinas, escasean los artículos importados, no hay repuestos para vehículos y si el águila sigue apretando las tuercas del boicot se pararán pronto los pocos ascensores que hay en Managua, dejarán de funcionar los aparatos de aire acondicionado.

Pero a lo mejor la penuria, las colas, la escasez, se justifican en una guerra europea y son fenómenos anormales en un país sin museos, ni bulevares, ni teatros de la ópera que bombardear, sin fábricas manejadas por robots y con tan pocas escuelas, sin academias, ni orquestas sinfónicas, ni autopistas, ni pinacotecas, tan sólo humildes CIR (Centros Infantiles Rurales), CAR (Centros de Abastecimiento Rural), DAP (Depósitos Agrícolas Populares), CEP (Centros de Educación Popular), URO (Unidades de Rehidratación Oral) que los ángeles guardianes de la cultura de occidente destruyen todos los días y cuyas siglas no están en el lenguaje de la civilización de occidente, y no tienen por lo tanto categoría occidental-cristiana.

Las categorías de occidente que sólo tiene que ver con el ser inmutable, acorazado por su libertad ontológica desde la hora de abrir el periódico sobre la mesa del desayuno hasta la hora en que reclina su cabeza sobre las almohadas de la tradición. Y nada de la voluntad, ni de los planes, ni de los sueños de jóvenes armados y mujeres milicianas, obreros que discuten y campesinos que aprenden, madres enlutadas y polvasales, breñales, baldíos, trochas, abras, lodo, caminos rurales, tumbas. Tumbas en todas partes.

Para terminar en que tu democracia no es una

democracia, es que hiciste elecciones, pero demasiado tarde, las pudiste haber hecho antes; y ahora que al fin las hiciste es cierto que las ganaste, pero hay que hacerlas de nuevo, nunca es tarde para sentarse al banquete de occidente.

La libertad, pero en concreto, para palparla, para acariciarla como un objeto sensual, como un cuerpo, sentirla, moldearla, defenderla. La libertad en la realidad, sacarla del barro, cocerla, darle forma. Y una democracia humilde que salga del mismo barro ensangrentado, amasada por tantas manos, no me preguntés antes de tiempo a qué se parece; te lo voy a explicar cuando el barro esté cocido. Y mientras tanto, si no ayudás a amasar, no estorbés.

Allí está ese hueco que hay que llenar. Julio Cortázar poniendo pie en la costa que espera con su relieve atormentado. La firma de Julio Cortázar. Hace falta Julio Cortázar.

Julio, 1982. El Velero

Otra playa del Pacífico de Nicaragua, tibia arena volcánica y olas que estallan con lejanos retumbos. A la vista la terminal del oleoducto de Puerto Sandino, (antes Puerto Somoza, por supuesto) el oleoducto que la CIA tantas veces se ha empeñado en destruir con cargas submarinas, ataques, comandos, lanchas pirañas artilladas con cañones, qué no han intentado.

Julio se ha retirado aquí con Carol para escribir, y ocupa uno de los bungalows construidos para los oficiales de la guardia somocista que ahora alojan trabajadores. El restaurante comunal donde la comida se paga con tickets está casi enfrente del bungalow de Julio, al otro lado de la calle hirviente, sin árboles. Lo diviso de lejos, leyendo en el porche, vamos a vernos más tarde, esa noche. Pero ya no hay más tarde; me avisan que los mercenarios entraron en el pequeño poblado fronterizo de San Francisco del Norte y masacraron a niños, mujeres, campesinos milicianos que se han defendido hasta la muerte, peleando contra los invasores a pocos centenares de metros de la guardarraya con Honduras, donde tienen sus guaridas. Y Julio debe volver también apresuradamente a Managua con Carol que está de pronto enferma, apresuradamente y para siempre Carol a París.

Carol Dunlop, llenos de niños los árboles. Nos deslumbró con las apreciaciones que había escrito sobre sus viajes a Nicaragua, un texto que tradujo Julio del inglés y que debía acompañar su libro de fotos de niños, que después de su muerte publicamos en la editorial Nueva Nicaragua, sus fotos desplegadas con amoroso cuidado una noche en casa de Claribel, sacadas de sus delicados envoltorios para colocarlas sobre las mesas, las sillas, junto a las paredes, bendición de niños, hermosura de niños retratados en caminos, mercados, ríos, barrios, calles, solares, árboles, bandadas de niños. ¿Cómo iba a haber una revolución sin niños? Esa cámara supo de niños, Carol Dunlop que recorre siempre a pie los barrios en busca de niños, los ríos del Atlántico en busca de niños, cercos, polvaredas, charcos, corrientes sucias, puentecitos de madera sobre los cauces, ropa tendida, resolana, se cose se borda se inyecta, esta mujer que dio en el clavo de la revolución, los niños que no nos sobran y vaya uno a saber por qué los sandinistas jamás instauraron una política de control de la natalidad si tanta penuria.

Para seguirlos vacunando, che. Y para que los sigan retratando.

Febrero 6, 1983. Managua

La revolución entrega a Julio Cortázar la Orden de la Independencia Cultural «Rubén Darío».

Ahora ha vuelto a Nicaragua por primera vez sin Carol, está entre nosotros desde enero, cuando los vientos de la solidaridad lo traen junto con pastores bautistas y líderes de derechos civiles, científicos de los Estados Unidos, artistas y escritores, para cumplir con una vigilia en Bismuna, una comunidad indígena de Zelaya Norte arrasada por la contrarrevolución. Julio va ahora donde la revolución le diga, un militante curtido, no le importan las categorías, el cartel, la paridad de la compañía, una celebridad a la que se puede pedirle que viaje a una aldea remota incendiada días antes y que amanezca velando en las ruinas carbonizadas, entre cantos, oraciones y discursos, muy pocos o nadie que no fuera Julio irían sin pedir primero la lista de invitados y cuántos periodistas y cámaras, nunca pidió pares ni para suscribir una simple protesta, vos veías su firma allí brillar entre tantas y no le tembló nunca el pulso, siem-

Julio con Claribel Alegría y Michaele Najlis, en la vigilia de Bismuna.

pre el Julio solidario sin mácula de aquella primera vez en San José.

Y fue en ese enero del 83 cuando volvió por última vez a Solentiname, su puerta de entrada en aquel verano del 76, o lo que nosotros llamamos verano, hierbas secas y amarillas y los montes lejanos ardiendo por las quemas para la siembra, humo, sol y las chicharras en coro en los llanos hirvientes, sopor de horno y olor de sacuanjoches. Y recorrió de nuevo las islas, el lago, el río; un tigre encadenado en el muellecito del embarcadero de Santa Fe desde donde salen las planas con ganado hacia el Diamante en Granada, la selva contenida junto a la propia margen del río, un tigre que lame las botas del viajero que desembarca. Se andaba despidiendo, diría un campesino de Melchora al que hubieran venido después a contarle su muerte, si lo hubiera visto bajar allí junto al tigre en la selva en el río.

Al ofrecerle la condecoración esa noche de febrero, el aniversario del nacimiento de Rubén Darío, hablé en mi discurso de Cortázar y de Darío como héroes, renovadores los dos de la cultura latinoamericana. Fue un acto sobrio, sin retórica ni tramoya, como son ahora nuestras celebraciones darianas, Daniel le impuso a Julio la medalla con sencillez, y él la recibió con sencillez, después leyó su discurso.

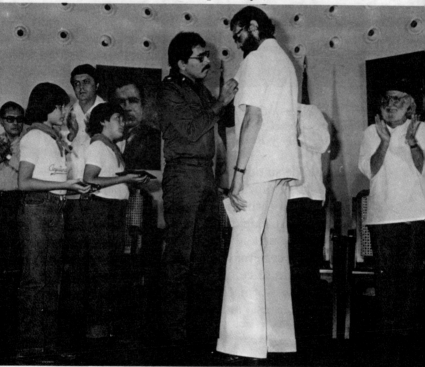

Imposición de la Orden de la Independencia Cultural «Rubén Darío», por el comandante de la revolución Daniel Ortega. Aparecen también Tomás Borge, Sergio Ramírez y Ernesto Cardenal.

129

(De izq. a der.) Carlos Núñez Téllez, Tomás Borge, Sergio Ramírez, Daniel Ortega, Rafael Córdova Rivas, Ernesto Cardenal, Julio y Rosario Murillo.

Habló de su deuda con Darío, de la libertad creadora en la revolución, la bandada de pájaros capaz de cambiar la formación de su vuelo en el aire, sin que los pájaros dejen de ser los mismos pájaros; Daniel me susurra allí en el estrado que ésta es una imagen muy certera, cuando se trata de los mismos pájaros el arte se cuida solo y qué hermosos son los cambios en las formaciones en vuelo.

Nos gusta esa receta.

Julio 12, 1983. Bello Horizonte

Estamos en los días del cuarto aniversario de la revolución que vamos a celebrar en León. Por aquí ya pasó su santidad el Papa Juan Pablo Segundo.

Después de un largo día de trabajo, he ido a visitar a Julio a la casa de Bello Horizonte, en el extremo oriental de Managua, donde se hospeda como huésped de Tomás. Éste es su último viaje a Nicaragua.

Cenamos solos mientras la noche de Managua entra con su tibieza y sus ruidos distantes por las persianas entreabiertas y hablamos muy profesionalmente de los asuntos de la solidaridad internacional, levantar firmas, comunicados, un viejo proyecto de artistas residentes que vengan a Nicaragua para una estancia de semanas o meses, trabajen aquí y cuenten sus experiencias, eso lo discutimos en detalle, ya tenemos una lista en la que están García Márquez, Graham Greene, Carlos Fuentes, Gunther Grass, Pontecorvo, Theodorakis, vivir la guerra y poder filmarla, pintarla, contarla, éstos son los proyectos que de alguna manera se estancaron con su muerte.

Y su participación en conferencias de solidaridad, sus respuestas constantes en la prensa europea frente a los ataques a la revolución, jamás volveremos a tener un defensor tan riguroso y tan empecinado, algo de eso hemos rescatado en su libro *Nicaragua tan violentamente dulce*.

Allí mismo le digo al despedirnos que por qué no viene conmigo la madrugada siguiente a El Ostional, en la frontera con Costa Rica, vamos a entregar títulos de reforma agraria en un acto campesino. Esto es terrorismo de estado, me dice y se ríe, reforma agraria en la frontera tica.

Y cómo no, deshago todo lo que tengo, y nos vamos.

Rivas. En el estrecho istmo entre el Gran Lago de Nicaragua y el océano Pacífico, se peleó la única guerra de posiciones durante la campaña insurreccional de mayo/julio de 1979 que terminó con la derrota del ejército de la dictadura. La guardia retenía la carretera panamericana que bordea el lago y se había replegado ya hasta La Virgen, en las puertas de la ciudad de Rivas. Las fuerzas del Frente Sur tenían su punto de avanzada más próximo en Cárdenas, sobre la misma carretera y desde allí hasta el mar dominaban las colinas que van repitiéndose en suaves alturas hasta la costa misma del Pàcífico, todo el día bajo el fuego de la artillería somocista. Desde el mar, los viejos barcos mercantes de la Mamenic Line de Somoza, artillados apresuradamente, bombardeaban las colinas y en las cercanías de El Ostional la guardia tenía emplazadas las katiushkas compradas al ejército argentino.

Aquí celebramos ahora el acto de reforma agraria bajo el sol que no perdona, con campesinos milicianos de chaquetas color de ladrillo, rostros color de

Madres de Belén.

ladrillo, las mujeres endomingadas, ristras de niños, banderas rojinegras descoloridas por el sol, cartelones con la tinta morada chorreando sobre el papel kraft. Estamos entregando la tierra a las cooperativas fronterizas.

Julio está pacientemente sentado en la tribuna bajo el amparo de las alas de un gran sombrero de palma, la rastra de un camión adornada con palmas y flores sirve de tribuna. El micrófono no sirve, bastante después de haber empezado mi discurso me doy cuenta que nadie me está oyendo, y debo empezar a repetir lo mismo, sin micrófono; les pido a los campesinos que se acerquen más, es como para desmoralizarse, pero acabamos bien, al fin me están oyendo, y Julio se ríe al bajar de la tribuna, ustedes sí que nunca pierden la calma.

En el tumulto de la salida cuando vamos hacia los vehículos entre manos, abrazos y cartelones una mujer vestida de luto rompe filas y se acerca, viene desde Belén, supo que íbamos a estar aquí y quiere que a la vuelta pasemos por Belén. Hoy es el aniversario de la masacre de Belén y, nunca ha ido ningún dirigente allá, ella es la madre de uno de los mártires de Belén.

El 13 de julio de 1979, cuando el comandante Exequiel que peleaba en la retaguardia de las fuerzas somocistas con sus milicias campesinas había liberado la mayoría de los pueblecitos al norte de Rivas, una

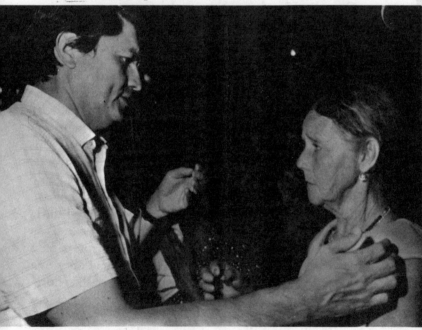

Sergio Ramírez habla con la madre de Rigoberto Cruz (Pablo Úbeda), héroe de Pancasán.

patrulla de la guardia entró en Belén, y los guardias, haciéndose pasar por guerrilleros sandinistas con pañuelos rojinegros al cuello, comenzaron a recorrer las calles llamando a los jóvenes para que se sumaran a la insurrección. Los muchachos y las muchachas salieron entusiasmados de sus casas, los concentraron en la placita frente al templo parroquial y en la soledad de la noche los masacraron a todos, lanzando sus cuerpos a un pozo, diecisiete chavales asesinados.

Claro que sí, vamos a pasar por Belén después de la inauguración de la micropresa de Tola, otro acto campesino bajo el sol de las tres de la tarde, regadío de 700 manzanas para las cooperativas asentadas ahora en los antiguos dominios feudales de Cornelio Hueck, presidente del Congreso somocista.

Y entonces Belén casi al anochecer. Las calles tranquilas y todo el pueblo concentrado alrededor del pozo, al lado de la plaza, frente a la iglesia blanca, el pozo adornado con flores; junto al pozo, la placa con los nombres de los muchachos asesinados. El sacerdote termina de oficiar la misa cuando caen las sombras y me pasa el micrófono. Ahora sí me oyen.

Belén, Tola, Buenos Aires, Potosí, San Jorge, los territorios del comandante Exequiel, el maestro de escuela, nunca hubo en la insurrección otro genio táctico como él, una sombra, una lanzadera, moviéndose detrás de las líneas del enemigo. Ya casi en la oscurana caminamos en procesión a media calle hacia la casa comunal donde las madres tienen preparado un refrigerio, en el corredor de la casa de adobes una mesa de mantel bordado con picheles, vasos, floreros, y las madres en tumulto afanándose en la cocina.

Le digo a Julio que inaugurando escuelitas rurales allí mismo en el departamento de Rivas, desde las Salinas hasta Tola, me ha tocado en un solo día almorzar siete veces, en cada lugar hay siempre un almuerzo preparado cualquiera que sea la hora, un aula adornada con ramas de árboles y hojas de chagüite con el almuerzo listo, humildes casas en el recodo del camino donde el viento agita una cortina de encajes en la puerta, te están esperando para almorzar, el piso lavado y restregado, todos los muebles arrumbados en el patio para dejar el espacio libre a la mesa de honor con mantel y con flores, picheles de agua, platos rescatados de antiguas alacenas en todo el vecindario rural.

Entre rostros de madres comemos aquí en la

Entrega de títulos de reforma agraria en El Ostional, 13 de julio de 1983.

penumbra que las débiles bujías del techo no alcanzan a dominar, rostros atentos, serenos, desbastados por el dolor, madres de mártires vestidas de luto, mi imagen más constante y más precisa de la revolución, madres humildes, cordiales, severas, al abrazarlas tantas veces hemos abrazado la pobreza y hemos abrazado la dignidad y son tantas, cuántas veces no te sentís resucitar, sacar fuerzas de ese abrazo, para cuando te sintás flaquear acordate de ese abrazo que también quiere protegerte, acordate de esos ojos enrojecidos pero desafiantes, de ese olor a sudor y a reseda, y de las veces que las has oído gritar al recibir el cuerpo del hijo acribillado, al caminar tras el ataúd cubierto con la bandera, gritar con esa rabia que tanto nos sostiene *hijosdelagranputaperros*.

No hay otro lamento.

Daguerratipo

El Padre Gaspar García Laviana, de la Orden del Corazón de Jesús, que entre otras cosas me enseñó un día que también era escritor.

Gaspar llegó a Nicaragua como misionero, y fue a fincarse por varios años como cura párroco de Tola; y en los territorios aquellos donde después se alzaría el comandante Exequiel, predicó el evangelio y predicó la insurrección entre los campesinos de Las Salinas, los pescadores del Astillero, con quienes también levantaba escuelas que aún se ven a la vera de los caminos rurales.

Un día de noviembre de 1977 me comunicaron en San José que alguien bajo el seudónimo de *El Buda* quería contactar a los mandos del FSLN; *El Buda* venía de Guatemala, y al salir de Nicaragua había perdido todo contacto con sus estructuras clandestinas.

El Buda es el cura de Tola, me dijo Humberto, hay que buscarlo de inmediato. Dos semanas antes se había quedado esperando las armas para los doscientos campesinos reclutados en las comarcas al sur de Riva, y que al tiempo que se atacaba San Carlos, Masaya, Chinandega, Ocotal, ellos tomarían Rivas con el cura a la cabeza. La ofensiva de octubre de 1977; uno de los planes que había fallado era el de Rivas, por falta de armas.

El Buda, sus grandes manos cuadradas y velludas sobre la mesa de la Soda Palace donde hablamos la primera vez, su gruesa barba afeitada de campesino asturiano, los ojos vivaces de un negro profundo bajo las cejas hirsutas, las crenchas entrecanas, decidido a entrar de inmediato en las fuerzas guerrilleras del frente sur que comenzaba a nacer, alzar todo Rivas, los campesinos seguían esperando por las armas.

En diciembre de ese mismo año Humberto me pidió que escribiera un mensaje que Gaspar debía firmar esa Navidad, explicando por qué como sacerdote escogía el camino de la lucha armada, y se iba a la guerrilla, a la clandestinidad, con el Frente Sandinista.

Nos reunimos en la casa donde Humberto vivía oculto en San José, para revisar el texto del mensaje, sentados los dos en el borde de un catre desarreglado en la penumbra de un aposento. Yo le leí el mensaje que había escrito y que él debía firmar; cuando terminé, siguió con la cabeza entre las manos, tan concentrado como había estado durante la lectura, y tras el largo silencio, con un movimiento remoroso y tímido buscó en la bolsa de su chaqueta para sacar al fin unas hojas. Las desdobló, inseguro; su gruesa letra llenaba abundantemente las carillas.

Vaciló, volvió a doblar las hojas, y mientras las guardaba de nuevo en la bolsa, me dijo que no se trataba de nada importante; como también él era escritor había trabajado en el texto del mensaje. In-

En la Natividad del Señor,
25 de diciembre de 1977.
Algún lugar de Nicaragua.

Hermanos nicaragüenses:

En estas fiestas de Navidad, cuando celebramos el nacimiento de Jesús, nuestro Señor y Salvador, que vino al mundo para anunciarnos el reino de la justicia, he decidido dirigirme a ustedes, como mis hermanos en Cristo que son, para participarles mi resolución de pasar a la lucha clandestina como soldado del Señor y como soldado del Frente Sandinista de Liberación Nacional.

Vine a Nicaragua desde España, mi tierra natal, a ejercer el Sacerdocio como misionero del Sagrado Corazón, hará de eso ya nueve años. Me entregué con pasión a mi labor de apostolado y pronto fuí descubrir que el hambre y sed de justicia del pueblo oprimido y humillado al que yo he servido como sacerdote, reclamaba más que el consuelo de las palabras el consuelo de la acción.

Como nicaragüense adoptivo que soy, como sacerdote, he visto en carne viva las heridas de mi pueblo; he visto la explotación inicua del campesino, aplastado bajo la bota de los terratenientes protegidos por la Guardia Nacional, instrumento de injusticia y represión, he visto como unos pocos se enriquecen obscenamente a la sombra de la dictadura somocista; he sido testigo del inmundo tráfico carnal a que se somete a las jóvenes humildes, entregadas a la prostitución por los poderosos; y he tocado con mis manos la vileza, el escarnio, el engaño, el latrocinio representado por el dominio de la familia Somoza en el poder.

La corrupción, la represión inmisericorde, han estado sordas a las palabras y seguirán estando sordas, mientras mi pueblo gime en la noche cerrada de las bayonetas y mis hermanos adecen tortura y cárcel por reclamar lo que es suyo: Un m
ás libre y justo, del que el robo y el asesinato desaparez an para siempre.

Y como nuestros jóvenes honestos, los mejores hijos de Nicaragua están en guerra contra la tiranía opresora, yo he resuelto sumarme al más humilde de los soldados del Frente Sandinista a esa guerra. Porque es una guerra justa, una guerra que los sagrados evangelios dan como buena, porque en mi conciencia de cristiano es buena, porque representa la lucha contra un estado de cosas que es odioso al Señor, Nuestro Dios. Y porque como señalan los documentos de Medellín, suscritos por los Obispos de América Latina, en el capítulo de la Situación Latinoamericana y la Paz, "La insurrección revolucionaria puede ser legítima en el caso de tiranía evidente y prolongada y que atente gravemente a los derechos fundamentales de la persona y dañifique peligrosamente el bien común del país, ya provenga de una persona, ya de estructuras evidentemente injustas".

A todos mis hermanos nicaragüenses les pido que por su amor a Cristo apoyen esta lucha del Frente Sandinista, para que el día de la redención de nuestro pueblo no se siga retrasando. Y a quienes por temor o necesidad aún sirven al somocismo, especialmente a los oficiales y soldados honestos de la Guardia Nacional, les digo que aún es tiempo de ponerse del lado de la justicia, que es el lado de Nuestro Señor.

A los empresarios que no han participado de la corrupción, a los agricultores decentes, a los profesionales y técnicos que rechazan el caos y el despotismo representados por Somoza, les digo que para cada uno hay un puesto de lucha al lado del Frente Sandinista para dignificar a nuestra patria.

A mis hermanos obreros de las fábricas, los plantales y talleres, a los artesanos, a los olvidados sin techo ni trabajo de los barrios marginales; a mis hermanos campesinos, a los cortadores hacinados en los campamentos, a los machetros, a los peones, a todos aquellos a quienes se ha robado hasta la más mísera oportunidad en esta tierra, les digo es hora de cerrar filas alrededor del Frente Sandinista, de unir nuestras manos y nuestros brazos, porque en el resonar del fusil justiciero en nuestras montañas, en nuestras ciudades y pueblos, está el signo de la redención que se aproxima. Porque de la rebeldía de todos, de la insurrección, que todos llevaremos adelante resultará la luz y se borrarán las tinieblas del somocismo.

Y a mis hermanos combatientes del Frente Sandinista en el Frente Norte "Carlos Fonseca Amador"; en el Frente Nororiental "Pablo Úbeda"; en el Frente Sur "Benjamín Zeledón"; y en sus cuarteles de la resistencia urbana en nuestras ciudades, les transmito mi firme convicción de que el día del triunfo vamos a construirlo con el sacrificio de nuestros héroes caídos que encarnan la voluntad de lucha de nuestro pueblo; con la dedicación revolucionaria del pueblo mismo organizado para su lucha, y con el sacrificio que nosotros estemos dispuestos a hacer desde las trincheras, unidos al rededor de la Dirección Nacional, encabezada por Henry Ruíz (el hermano Modesto), Daniel Ortega (el hermano Enrique) y Tomás Borge (el hermano Pablo) ahora en las mazamorras somocistas.

El somocismo es pecado, y librarnos de la opresión es librarnos del pecado. Y con el fusil en la mano, lleno de fe y lleno de amor por mi pueblo nicaragüense, he de combatir hasta mi último aliento por el advenimiento del reino de la justicia en nuestra patria, ese reino de la justicia que el Mesías nos anunció bajo la luz de la estrella de Belén.

Su hermano en Cristo,

PATRIA LIBRE O MORIR

Gaspar García Laviana
Sacerdote Misionero del
Sagrado Corazón.

Gaspar García Laviana.

sistí, el suyo tendrá que ser mejor, yo nunca podría
sustituirlo en eso; pero no hubo manera que sacara
de nuevo las hojas, con el mío bastaba. El también
era escritor, pero que no importaba.

Y te acordaste de esta lección tan importante de
tu vida cuando en el asilo de la embajada mexicana
en Managua viste las imágenes del cadáver de Gaspar
transmitidas triunfantemente por la televisión somocista en aquel diciembre de 1978, un año antes había
salido del aposento en penumbra tras abrazarte cáli-
do, sonriente, dejándote aplastado bajo el gran peso
campesino de su humildad; y te has acordado después, viendo las fotos en colores encontradas en las
gavetas del escritorio del jefe de la seguridad somocista: el cuerpo de Gaspar, vestido de verde olivo

sobre la hierba, toda la mitad del rostro un enorme boquete abierto por la bala, sólo medio maxilar poblado siempre por aquella barba terca rasurada pero oscura, sólo un ojo negro y vivo bajo la ceja hirsuta, las crenchas entrecanas revueltas con la sangre. Te has acordado que Gaspar también era escritor, que entre otras cosas te enseñó un día que también era escritor.

Febrero 17, 1985 (domingo). Montparnasse

Ahora toca contar para atrás. Un año de la muerte de Julio Cortázar, hace dos años lo condecorábamos en Managua y todavía me dijo esa noche que nunca había recibido un homenaje tan grande para él y tan querido como esa medalla; vigilia entre las chozas incendiadas de Bismuna y la brisa del lago contra el rostro en Solentiname, los mineros en Siuna, las madres de Belén, una selva de armas en la que juegan niños y en donde cada calle la ganó la vida. Ya ves, viajero, ésta es tu puerta abierta.

Caminamos de vuelta a los vehículos que esperan en la callejuela, bordeando los templetes en miniatura; nos despedimos de Tomassello, y ya camino al hotel para recoger el equipaje Roberto Armijo me repite otra vez la última historia: anduvo peleando para lograr que le tomaran una foto a Julio yacente en su lecho del hospital, peleando para que se permitiera hacerle una mascarilla mortuoria, (tan centroamericano eso de las fotos de cuerpo presente y las mascarillas mortuorias, este baboso cree que se trata de las exequias de don Chico Gavidia, se hubiera reído Roque).

Pero era importantísimo para la historia. Roberto consiguió al fin que entrara el fotógrafo; medianoche en los pasillos del hospital, todo tan silencioso y en la habitación el fotógrafo arma sus reflectores, prueba las luces en la soledad mortuoria, ajusta sus instrumentos, lentes, trípodes. Julio está tendido en la cama, sereno, tranquilo, Roberto que estuvo allí antes percibió en sus labios una ligera sonrisa. A su lado, en la mesa de noche, está el último libro que leía, un libro de Rubén Darío.

El fotógrafo comienza a trabajar, a disparar, busca ángulos distintos en la habitación, sólo se oye el chasquido del obturador, el motor de la cámara que desliza el rollo con suave murmullo. Ya hemos visto a ese fotógrafo antes ¿no está en *Blow-up*?

¿Y si ahora en lugar de Julio yacente vas a revelar el rollo y te sale Siuna, Solentiname, Bismuna, las madres de Belén, un niño de uniforme verde olivo que te cuenta sobre una guerra de verdad junto a la playa mientras enfrente estalla el mar?

Un libro de Rubén Darío, una bandada de pájaros.

Y ahora se hizo tarde, hermano. Me están esperando las madres de Belén.

Managua, Marzo/Junio de 1985

Índice

Esta edición de
ESTÁS EN NICARAGUA
compuesta en tipos
Garamond de 10 y 12 puntos
por Tecnitype, se terminó
de imprimir el 25 de septiembre de 1985
en los talleres de Romanyà / Valls,
Verdaguer, 1, Capellades (Barcelona)

Ramírez, Sergio,
  1942-

Estas en Nicaragua

$10.75

DATE			
MAY 11 '88			
MAY 17 1988			